CÓMO SER UN GRAN
PADRE SOLTERO

THEO THEOBALD

CÓMO SER UN GRAN
PADRE SOLTERO

Traducción
Adryana Pérez de la Espriella

PANAMERICANA
EDITORIAL

Theobald, Theo, 1957-
    Cómo ser un gran padre soltero / Theo Theobald ; traductor
Adryana Pérez. -- Bogotá : Panamericana Editorial, 2008.
    312 p. : il. ; 23 cm.
    ISBN 978-958-30-2862-5
    1. Padres solteros 2. Padres e hijos 3. Educación para la
vida familiar 4. Paternidad (Psicología) - Enseñanza I. Pérez,
Adryana, tr.
306.874 cd 21 ed.
A1150869

    CEP-Banco de la República-Biblioteca Luis Ángel Arango

Editor
Panamericana Editorial Ltda.

Dirección editorial
Conrado Zuluaga

Edición
Diana López de Mesa Oses

Traducción
Adryana Pérez de la Espriella

Diagramación
Santiago Rohenes

Diseño de carátula
Diego Martínez Celis

Título original: *How to be a Great Single Dad*
Copyright © 2005 por Theo Theobald
Publicado en inglés por Hay House UK Ltd., 2005

Primera edición en Panamericana Editorial Ltda., abril de 2008
© 2008 de la traducción al español, por Panamericana Editorial Ltda.
Calle 12 No. 34-20. Tels.: 3603077 – 2770100
Fax: (57 1) 2373805
panaedit@panamericana.com.co
www.panamericanaeditorial.com
Bogotá D.C., Colombia

ISBN: 978-958-30-2862-5

Impreso por Panamericana Formas e Impresos S.A.
Calle 65 No. 95-28. Tels.: 4302110 - 4300355. Fax: (57 1) 2763008
Bogotá D.C., Colombia
Quien sólo actúa como impresor.

Impreso en Colombia
Printed in Colombia

Para Ben y Nancy...
¿Para quién más?

CONTENIDO

INTRODUCCIÓN

Lo único que me califica para escribir este libro es que soy un padre soltero.

Ni por un minuto pretendo ser excelente en ello. Hay días en que lo soy (quizá por accidente), pero reconozco que hay muchos más en que no lo soy. Lo más importante es que aspiro a serlo y creo saber lo que es la grandeza, en parte por la retro-alimentación de mis propios hijos, pero tiene mucho que ver la observación de muchos otros niños con sus padres.

No soy psicólogo del comportamiento (lo que quiera que eso sea), ni profesor de colegio, pediatra, dietista o un conseje-ro experto. Soy una persona común y corriente, como muchas, que intenta hacer las cosas bien para sus hijos y para mí mismo, con el pleno conocimiento de que siempre pensaremos que lo hubiéramos podido haber hecho mejor.

Espero que la mayoría del contenido del libro sea un territo-rio familiar y pueda referirse fácilmente a él, porque creo que existen demasiados libros, escritos por personas (tanto mujeres como hombres) que intentan trabajar, a su manera, sus propias separaciones. El resultado es introspectivo y torpe, y sólo me hace sentir que existe alguien allá afuera que piensa que ellos están peor que nosotros.

También estoy asumiendo que usted ya se ha separado y que no está leyendo este libro de manera anticipada. En los primeros capítulos hablo acerca de qué tan duro puede ser el rompimiento de las relaciones, pero estoy seguro de que "permanecer juntos por los niños" es un plan inadecuado. Tengo la autoridad para hablar de ello ya que una buena amiga cuyos padres hicieron lo mismo deseaba que hubieran tenido la fortaleza de terminar con ello, en lugar de hacer su niñez miserable con sus riñas y distanciamientos. Pienso que es igualmente cierto que no existe un buen momento para separarse en la medida en que los niños estén involucrados; de todas maneras ellos siempre se sentirán devastados cualquiera que sea su edad, es sólo que esto se manifestará por sí solo de diferentes maneras de acuerdo con la madurez de sus emociones.

Con el aumento de las tasas de divorcio, muchos de nosotros hemos terminado en divertidas familias disparejas, mamá y papá tomando esto por turnos para arreglárselas por sí mismos; un padre o ambos con nuevas relaciones, algunas veces niños de relaciones anteriores que chocan en buena medida. No puedo cubrir cada eventualidad, de manera que si *sus* circunstancias son diferentes a las mías, espero que todavía haya suficiente sentido común en estas páginas para que tome de ellas la parte que se aplique a su caso.

Sin embargo, no se sorprenda si muchos de los ejemplos que menciono aquí ya los ha imaginado, pero intenté mezclarlos con historias de otros colaboradores (muchas otras personas en mi misma situación), para presentar en parte un rango de experiencias más amplio, y porque no necesito compartir, y usted no necesita saber, los detalles de mi separación.

De vez en cuando encontrará una referencia concreta con respecto a mi hijo (quien cumplió doce años) y a mi hija (quien va para los quince); porque ellos han estado en el corazón de mi experiencia de aprendizaje durante los últimos años y también porque estoy lo suficientemente orgulloso de ellos como para darles algún crédito en la participación de este libro. ¡Sin ellos, yo no habría sido ninguna clase de padre y cuán triste podría ser esto!

La última cosa que quise hacer fue crear un manual de instrucciones. Todos los niños son diferentes, al igual que todos los padres, pero ha habido muchas veces en las que me he preguntado si era sólo yo el que me sentía de una manera particular con respecto a un asunto y si hubiera sido bueno saber que otra persona sentía lo mismo. Pero este libro no se trata de mi separación o de la suya, se trata de seguir adelante y de enfrentar esta situación lo mejor posible.

Con los ejemplos verá que la mayor parte de las experiencias que se exponen son de padres que todavía tienen alguna responsabilidad en la educación de sus hijos, así que estamos considerando un grupo de edades que va desde la infancia hasta los últimos años de la adolescencia. Eso no quiere decir que ser un gran padre termine allí, pero cuando los hijos alcanzan la madurez (los 14 a sus ojos, 44 a los suyos), sus necesidades de cuidado serán menos bucólicas y llegarán a ser más financieras.

Yo me inclino más por la teoría que desde el momento en que nuestros hijos nacen, estamos encargados de la tarea de ayudarlos a alejarse un poco más de nosotros cada día; nuestro trabajo es enseñarles a ser independientes de nosotros. En realidad, cuando se llega a la última fase de la adolescencia, ya debimos haber sido una clara vergüenza para ellos durante muchos años. Más que cualquier otra cosa, espero que este libro le ayude a sostener sus "habilidades naturales de padre" hasta que algún día, una vez que la fase de crianza haya corrido su curso, ellos regresen a usted llenos de admiración y completamente convencidos del hecho de que hizo lo mejor para educarlos.

UN ASUNTO DE CIRCUNSTANCIAS

Existen muchas circunstancias que nos llevan a ser padres solteros. En mi caso fue mi divorcio, ocurrido hace cinco años. Después de algunas estupideces e infantilismos iniciales (de ambos lados), acordamos que nuestros dos niños debían vivir la mayor parte del tiempo con su mamá, pero que podían venir y permanecer conmigo de forma alterna los fines de semana y que yo los tendría durante la mitad de las vacaciones escolares.

Vivo cerca de ellos, lo cual quiere decir que ahora, aunque brevemente, los veo por lo menos un par de noches a la semana y a veces pasan la noche conmigo si las circunstancias lo permiten o dictan.

Como he dicho, reconozco que este caso no aplica para todos. Puede que para usted el acceso a sus hijos sea más limitado, quizá porque viven muy lejos o porque no ha sido capaz de acordar el mejor nivel de contacto con el que todos estarían contentos. Sólo puedo imaginar lo difícil que puede ser, y si está enfrentando este tipo de situación, lo comprendo así como los demás padres solteros que se han organizado para "coordinarse" de una manera más satisfactoria.

Por otro lado, quizá usted sea uno de esos hombres excepcionales (en mi libro son santos) que tienen la custodia de sus hijos, de manera que ellos están la mayor parte del tiempo con usted, y visitan a sus madres bajo alguna clase de acuerdo. Sólo puedo adivinar que esto debe ser muy diferente e incluso a veces una carga, pues ahora es mucho más responsable del bienestar diario de sus hijos. Creo que con toda la falta que me hacen mis hijos cuando no estoy con ellos (que no disminuye con el tiempo), su reto es mucho mayor, igual que el de muchas madres solteras.

Finalmente, la circunstancia más difícil es cuando se es viudo y no sólo está privado del "alivio" de tener algo de tiempo para sí mismo cuando los niños no están, sino que también tiene que enfrentarse con una jornada de tiempo completo siendo mamá y papá para ellos.

Espero que estos pocos párrafos no parezcan, para muchos de los padres cuya situación no comparto, una referencia pasajera, ni una trivialización de la vida tan dura que puede ser para ellos. Sólo puedo explicarles cómo se ve el mundo desde donde yo y la mayoría de padres solteros nos situamos. Si a veces pareciera que no entendiera cómo son las cosas para usted, probablemente estará en lo cierto y lo único que puedo hacer es disculparme y esperar que —sin importar cuáles sean sus circunstancias personales— encuentre algún sentido común y consuelo en lo que he escrito.

ESTRUCTURA DEL LIBRO

Si quiere puede leer este libro de principio a fin de una manera convencional. Sin embargo, dependiendo de lo que quiera en su vida personal y partiendo de su actual conocimiento acerca de las habilidades de la paternidad, quizá prefiera profundizar en las secciones que encajen con lo que necesita. Aquí está un rápido resumen que le ayudará a navegar.

SECCIÓN I

Se refiere a la ruptura de las relaciones y al período que sigue inmediatamente después. Esto no puede ser ni por casualidad motivo de risas y cualquiera que haya pasado por esto sabe que nunca podrá ser así. Aunque siendo optimistas, le mostrará cómo ha resultado esta situación para otras personas (incluyéndome) y quizá en medio del esfuerzo y la tensión recoja la clase de consejo que yo hubiera deseado escuchar, simplemente porque podría haber hecho más fácil la vida de mis hijos. De lo anterior podrá deducir que como muchos otros padres solteros, tengo muchos remordimientos acerca de la manera como manejé algunos de los asuntos de la separación y si pudiera ayudar a alguien a reducir las posibilidades de cometer los mismos errores lo haría.

SECCIÓN II

Es mucho más que felicidad; también es la más larga porque conforma el centro del libro. Es la parte del "cómo", lo que promete el título. Aparte de ser una gran descarga de consejos acerca de cómo ser un amo de casa moderno y mantener su espacio limpio y ordenado (bueno, mientras así lo quiera), también encontrará cosas mucho más emocionantes como planear unas maravillosas vacaciones y cómo mantener entretenidos a los niños (con el objetivo específico de que usted también obtenga placer de ello).

Además aprenderá cómo y dónde comprar ropa adecuada para sus hijos y resolverá ese problema del que todos sufrimos: recordar todas las fechas importantes para los niños, como las vacaciones escolares, los cumpleaños e incluso el día de brujas.

Sección III

Aquí hablamos sobre el aprendizaje. Además de estar involucrados con el sistema de educación formal, existen otras maneras de ayudar a nuestros hijos, incluyendo algunas lecciones de vida y un conjunto de valores para educarlos, que los harán sentirse orgullosos de sí mismos cada día. También podrán descubrir una cosa o dos en el capítulo titulado: "¡Sexo, drogas y rock and roll!".

Sección IV

Está enfocada en la complicada área del comportamiento y abarca consejos sobre cómo establecer los límites, qué tanta disciplina aplicar y cuándo. Esto también puede ayudarle a comprender el tipo de comportamiento que los niños quieren que les demostremos; por lo tanto, encontrará muy buenos consejos para ser grandioso ante sus ojos.

Sección V

Esta sección es sobre usted y su futuro. Aunque lo esté haciendo bien como padre soltero, también necesita verse como un individuo y creo firmemente que la felicidad de los niños está determinada por la suya. Entonces parece apropiado dedicar algún tiempo para observar qué lo haría feliz en el futuro, incluyendo la posibilidad de una nueva relación.

Antes de entrar en el resto del texto, necesito mencionarles uno de los principales errores que seguí repitiendo hasta hace muy poco tiempo. Cuando no sabía la respuesta a alguna pregunta sobre cómo cuidar a mis hijos me sentía incapaz, como si debiera tener una musa paternal interior a la cual acudir para que me ofreciera una gama de soluciones instantáneas. Muchas personas me han dicho que no hay un manual para la crianza de los hijos, hacemos lo que podemos y esperamos estar en lo correcto la mayor parte del tiempo. Sólo porque nos enfrentamos al trabajo solos, no veo por qué esto no pueda cambiar.

Ahora pienso que es normal no saber la respuesta a cada situación y por ello me siento mucho más tranquilo buscando fuentes externas de ilustración —los amigos, la familia, incluso el médico o un líder religioso o espiritual—, pues todos ellos tienen un punto de vista válido.

Más allá de todo esto, usted todavía se tiene a sí mismo y sus dos aliados más confiables son el instinto y el sentido común.

I. SEPARACIÓN Y REPERCUSIONES

Sɪ ʏᴏ ꜰᴜᴇʀᴀ ᴜꜱᴛᴇᴅ
ɴᴏ ᴄᴏᴍᴇɴᴢᴀʀÍᴀ ᴘᴏʀ ᴀQᴜÍ

Las separaciones duelen, realmente duelen.

Sencillamente casi nadie sale impune. Aunque haya soportado muchos años espantosos en una relación que no funcionó en ningún aspecto, lo desafío a marcharse sin echar una mirada ocasional de nostalgia pensando cómo hubiera sido. Esto sucede porque todos los seres humanos establecemos relaciones con la esperanza de un futuro feliz, de manera que cuando no resulta así nos sentimos defraudados, algunas veces por la otra parte, a veces por nosotros mismos y con frecuencia por ambas. Si soy honesto, podría haber prescindido de este capítulo; a fin de cuentas, por qué habría de entusiasmarme revisar un momento tan doloroso de mi vida. Pero sé que para terminar siendo un buen padre soltero tendrá que enfrentar "la pérdida" de su pareja, y la manera como sobrelleve los primeros días resulta ser crucial para los niños. Personalmente, a pesar de que fue una experiencia terrible, fue uno de los períodos de auto-descubrimiento más reveladores por los que he pasado, ya que tuve que resolver qué quería de la vida tanto para mis niños como para mí.

Aunque estuviera reacio a emprender esta parte del recorrido no veía otra alternativa. Espero que mi aprendizaje le ayude a comprender que esta fase no dura mucho y al final la vida mejora.

Lo primero que sucede en una separación puede ser algo parecido al luto. Hay una serie de estados anímicos por los que todos pasamos, no necesariamente en secuencia sino más bien en un orden arbitrario, como una ruleta emocional. Aunque esto es diferente para cada individuo, parecería que la ruleta girara fuera de control con estados de ánimo oscilantes que cambian minuto a minuto, alimentados por las personas que están a nuestro alrededor, por nuestra autocompasión, o provocados por algo tan sencillo como divisar en la estantería del supermercado la marca de un limpiador de baño en particular que ella solía comprar (y ellas dicen que los hombres no somos románticos).

Diferentes personas en circunstancias diversas me describieron los siguientes sentimientos, así que démosle una mirada más detallada a algunos de los comportamientos descritos a continuación y observemos si nos parecen conocidos.

- Remordimiento: "¿Cómo terminé en este estado tan lamentable? Tenía tanta ilusión con el futuro, quería que todo funcionara (en un tono dramático). Qué tan inocente fui y en retrospectiva, qué tan tonto. Si sólo... si sólo...".

- Cólera: "Maldita, condenada, imbécil. ¿Cómo pudo? Le di los mejores años de mi vida y ¿qué obtengo a cambio?¿Bien?... Hmmm... Bien, le mostraré señorita. Le mostraré..., bien, no estoy seguro exactamente qué pero créame, algún día le mostraré algo".

- Indiferencia: "Francamente querida, ¡no me importa! Me confundes con alguien a quien no le importo. Vive tu vida que yo viviré la mía, simplemente no vengas a decirme qué es lo próximo que debo hacer, ni ahora ni nunca, de ninguna manera".

- Celos: "¡Listo, ¿lo quieres todo, no? El estilo de vida, el nuevo romance, el dinero, los amigos, el gato, los niños. Bueno, no te preocupes por mí entonces!".

- Amargura: "No quiero volverla a ver, he dicho. Estoy limpiando todo tu desorden, tirando todos esos CD basura que me compraste y esa estúpida ropa interior que pensabas que era tan divertida en Navidad".

Es fácil mezclar todas esas emociones con las de sus hijos cuando todo esto está pasando, pero necesita reconocer que lo que ellos están experimentando es diferente. Haga lo mejor para mantener estas cosas separadas y no trate de hacerlos decir que todo está bien para ellos cuando no lo está.

Por supuesto, lo que esté sucediendo en su propia cabeza y los diferentes estados de ánimo por los que atraviesa dependerán de las circunstancias que rodean su separación, pero si encuentra difícil mantener sus emociones bajo control, vale la pena tener presente que existen factores externos que le ayudarán o entorpecerán su recuperación. A continuación, menciono algunos de ellos para que piense al respecto.

Las personas cercanas a usted, como los amigos y familiares, pueden ser una gran fuente de consuelo. Igualmente, le pueden causar más pena al expresar sus opiniones, cuestionándolo acerca de las cosas erradas del pasado o interrogándolo sobre el futuro. Ellos sólo tratan de ayudar, pero es difícil verlo así en ese momento. Lo que lo lleva al límite es cuando ellos dicen que "ella nunca les gustó" y que no entendían cómo podían estar juntos; esto se vuelve peor porque como usted la conoce bastante bien, en este momento ella debe estar diciendo exactamente lo mismo. Esto es como lamentarse de la familia; en un bar le puede decir lo que quiera a su pareja acerca de cómo su hermana lo maneja terriblemente o su mamá lo hace enfadar, pero si ellos hacen alguna crítica personal de sus familiares y parientes, usted (ilógicamente) salta en su defensa. Aun la más cáustica de las peleas con su ex pareja, puede dejar rastros de lealtad. Quizá el factor más importante no es la crítica que se hace acerca de su ex, sino los defectos implícitos que ha mostrado al escogerla, aguantarla o no advertir cuando ella dormía con su hermano.

El trabajo también puede hacer las cosas mejores o peores. Si tiene un trabajo que le quita mucho tiempo, este puede hacerle olvidar los asuntos emocionales para concentrarse sólo en las cosas que tienen que hacerse. A veces las personas ajenas se sorprenden al ver que quienes atraviesan por un proceso de separación trabajan más duro y eficientemente que en otros momentos. Puede ser una manera de reafirmarse y reconstruir algo de la autoestima perdida en otras áreas de la vida. Quizá durante un tiempo estuvimos casados con nuestro trabajo —relación que nuestra anterior esposa pudo haber visto como bígama— y eso haya provocado directa o indirectamente la decisión de separarse. Así como con una relación nueva y fresca podemos pasar más tiempo que antes fortaleciendo los lazos entre nosotros. Aquí el peligro más grande está en poner todos los huevos en una sola cesta. Si desea recuperarse en el menor tiempo posible, es el momento de ampliar la base de su red de autoestima y apoyo. Así como el trabajo puede ser una distracción bienvenida de la carga emocional que tiene que manejar con el exterior, también puede sumarse al estrés que tiene que afrontar en otras partes, sólo sea consciente de cómo se siente interiormente y de la carga adicional que está sobrellevando en su ser emocional.

Existen muchos elementos que he denominado "muletas" en las que también puede apoyarse. Si siente mucha tensión visite a su médico. No se bloquee diciendo: "Ah está bien, puedo hacerle frente" (esto es dicho con mucha frecuencia por hombres con las venas de la frente a punto de reventar y vapor emanando de sus orejas). Si se demora demasiado en pedir ayuda, se dará cuenta de que no hay nada de hombría en tener una crisis nerviosa.

En general estoy muy contento porque al parecer las actitudes al respecto han cambiado y al reconocer que podemos enfermarnos tanto emocional como físicamente, damos un paso positivo hacia la supervivencia. No debería darle pena tomar lo que le prescriben, hasta ahora es lo que le ha ayudado a pasar la noche. Si le da un resfriado, entonces toma toda clase de cosas para aliviar los síntomas pero en realidad ninguna de ellas lo mejoran; es usted mismo —es su sistema— el que lo hace. El linctus sólo lo ayuda a olvidar que se siente terrible (y si toma demasiado se olvidará hasta de su propio nombre), su sistema inmune es el que repara el daño. La "enfermedad emocional" que a veces todos sufrimos funciona exactamente igual. Sin embargo no tiene que soportarla, puede tomar algún medicamento (su médico sabrá cuál) para aliviar el dolor hasta que su habilidad de autorreparación entre en acción.

En la sociedad de hoy existe una gran variedad de sustancias que pueden hacer la misma tarea, la más común es el alcohol y aunque no quiero dar un sermón acerca del tema, es buena idea hacerse un chequeo de vez en cuando y pensar acerca de lo que ingiere. Es realmente difícil ser un gran padre si está enfermo todo el tiempo. Si está preocupado porque el alcohol u otras sustancias se están convirtiendo en algo muy normal, entonces aplica el mismo consejo de arriba: debería visitar a su médico (y no porque él pueda prescribirlo basado en el Plan Nacional de Salud).

Todas estas cosas pueden ser las fuerzas del bien o del mal en la medida en que reboten alrededor de la oscilante tabla emocional. Finalmente, todo esto pasa y la mayoría de las personas con las que he hablado me comentan dos cosas. Primero, que cuando miran hacia atrás todo parece confuso, como si acabaran de pasar por esa situación; y en segundo lugar, dedicamos demasiado tiempo a la recuperación cuando deberíamos sacudirnos más rápido. El hecho de que haya advertido esto no alterará dramáticamente el futuro de nadie porque, como todos sabemos, recordar es algo maravilloso. Lo mejor a lo que puede aspirar es disminuir el tiempo de su "rehabilitación emocional"; lo cual, después de todo, no es un muy buen prospecto.

En medio de este remolino emocional, quizá pueda ser perdonado por cometer el curioso error de juzgar delante de los niños, así que tenga en cuenta los siguientes cuatro capítulos, ya que todos podemos comportarnos de esa manera.

SEÑOR VENGATIVO

Este personaje dice cosas como: "Bien, eso es típico de su madre", pero es tal la manera en que lo dice que altera a los niños. Ellos pueden ser lo suficientemente maduros para entender que usted fue derrotado, pero ellos todavía los adoran a ambos y no quieren ser forzados a tomar partido por el uno o por el otro. Si cree que la odia y quiere vengarse, entonces hable con sus compañeros, no con sus niños. Si está equivocado al respecto y ha sido tratado bastante mal, entonces recuerde que a largo plazo preservar su dignidad le dará una moral más alta. Puede ser que sus hijos nunca se den cuenta (o por lo menos lo admitan) de que su mamá estaba equivocada y usted tenía razón, así que deberá aceptar esta situación. Por otro lado, ellos tienen una manera extraña de llegar a conclusiones correctas acerca de ustedes dos. Ha habido casos en los que ustedes estaban asustados no sólo por su honestidad, sino también por su precisión ("Papá, a veces puedes ser tan quisquilloso..."). Si cree que algunos de estos ejemplos representan dónde se encuentra ahora, entonces tenga cuidado porque una vez la guerra ha estallado entre ustedes, necesita pensar con calma qué batallas escoger para luchar, o los niños terminarán en medio de un fuego cruzado. Deténgase y piense por un minuto cuán importantes son el vestuario, los gustos, la hora de acostarse, la disciplina y un sinnúmero de cosas que aunque significativas, no son tan importantes como el bienestar emocional de los niños. La verdad es que en la mayoría de separaciones existe, de una manera u otra, culpa de ambos lados y es en la edad adulta cuando los hijos miran hacia atrás y se dan cuenta de esto. La competencia entre los padres en las etapas tempranas realmente no le hace ningún favor a nadie, por lo tanto intente restringirla al máximo.

SEÑOR INDIFERENTE

Este se envuelve tanto en sí mismo que en realidad no le importa lo que sucede a su alrededor. Lo que les dice a los niños acerca de la separación variará según las circunstancias individuales, pero cualquiera que estas sean, debe estar preparado para continuar hablando y escuchando cuando ellos quieran, no cuando usted quiera. Se aplican las mismas reglas anteriores; sólo porque usted ha desconectado sus sentimientos por su pareja (o estos han desaparecido con el tiempo), los niños, sin duda, no serán más leales. Con frecuencia ellos no ven que una relación fracase, por lo tanto es mucho más difícil entender cómo es que "ayer se adoraban pero hoy no".

SEÑOR SENSIBLE

Alterarse delante de los niños no ayuda a nadie porque ellos también se alterarán. Lo que tiene que hacer es poner cara de valentía, incluso a la luz de nuevas revelaciones acerca de la nueva vida privada de la mamá —como en Tom y Jerry, donde Tom se vuelve más diplomático y se queda callado (para no despertar al hijo del perro), y a veces tiene que ir afuera para gritar—. No estoy diciendo que sea errado sentirse mal, pero concéntrese en los niños y verá que ellos también han tenido que tolerar algo de todo este embrollo, así que lo último que ellos necesitan es que usted lo empeore. Si ellos sólo obtienen los "derechos de visita" a su espacio, no es demasiado esperar que usted se frote las manos y rechine los dientes en los momentos intermedios cuando se encuentre en un bar con un amigo en el que confía (probando sin duda la firmeza de esa amistad).

Señor indulgente

Estoy esperando el día (el cual debe venir pronto) cuando un presentador bronceado y con una brillante sonrisa salga en un comercial de televisión y diga: "¿Tiene algún problema? Entonces resuélvalo con dinero...", puesto que cada vez más creemos que todas las cosas malas de la vida desaparecerán si les arroja el dinero suficiente. A largo plazo no obtendrá nada bueno si es de los que continuamente les regalan obsequios y los complacen. En realidad lo que los niños quieren es ser escuchados y que les den amor. Soy consciente de volver a hablar acerca de este tema en otra parte del libro, pero es tan obvio que me asombro de que algunas personas no lo pueden ver. Observe cualquiera de esos programas de televisión indiscretos que tienen la mirada puesta en las familias disfuncionales (y sea honesto, ¿por qué querríamos mirar a una que funcione?), y verá que este error se repite. Ellos dicen que en estos tiempos somos "prósperos" y "sin tiempo", lo cual es una lástima porque todos los niños en realidad lo que quieren es tiempo (ah, y una nueva consola de videojuegos).

Todas estas tesis son bastante desagradables, aún más si se refieren a sus niños. Las he puesto ahí porque existe un equilibrio para ser analizado entre hablarles a sus niños acerca de la separación y protegerlos de alguna parte de la difícil tarea de la crianza que, en definitiva, no tienen por qué asumir. Cuando crezcan querrán saber más acerca de lo que sucedió, pero por ahora es preferible que no trate estos temas con ellos.

Diez cosas que ayudan a la recuperación

Cuando su estado de ánimo cambia debido a la separación, tiene un sinnúmero de asuntos que tratar, algunos de ellos positivos pero otros no, y corre el riesgo de caer dentro de la personalidad de uno de los estereotipos mencionados anteriormente. ¡Hombre, usted necesita ayuda!

Esto no es la panacea ni hará que toda la maldad se vaya, pero a continuación le presento una lista de cosas que puede hacer para evitar algunos de los peores comportamientos que, de otro modo, podría estar tentado a ejecutar. Estos son placeres inocentes y de ninguna manera son una extensa colección. Existen cientos de actividades que pueden hacerlo sentir mejor y si ninguna de estas le gusta, espero que lo iluminen para que pueda escoger una que le agrade.

Ingrese a un gimnasio

Ya sé que es radical pero el ejercicio es excelente para liberar las endorfinas que se supone nos hacen sentir felices. ¿No leí en algún lugar que el chocolate hace lo mismo? Quizá, pero en demasía hará que engorde y le salgan manchas, así que es mejor si lo evita. Si le incomoda la idea, puede escoger algo un poco más amable como una caminata vigorosa o un paseo casual. No lo haga sólo una vez, eso sería una pérdida de tiempo, conviértalo en rutina.

VUELVA A ESTUDIAR

O a la universidad nocturna o inscríbase en un programa de aprendizaje casero. Los nuevos logros y habilidades son algo con lo que nos podemos sentir perfectamente orgullosos, no tiene que escalar el Everest para que haya un cambio sustancial en la manera como se siente. Yo intenté una inmensa variedad de cosas —"Cocina para hombres", "Escritura creativa", "Photoshop"—. Mi única decepción fue que no me permitieron ingresar a la clase "Danza del vientre para mayores de cincuenta años". ¿No odiaría usted ser discriminado por ser demasiado joven?

PLANEE UN VIAJE

Esto resulta especialmente bueno si puede involucrar a los niños. Una vez más le repito: no se trata de escalar el Matterhorn, esto puede ser tan sencillo como ir a un museo, al circo o al teatro. Apuesto que si va a la oficina local de turismo, encontrará muchos paseos locales de los cuales si apenas se había enterado. Si tiene la ocasión, hable con otros padres en su localidad que tengan niños con edades semejantes a las de los suyos y obtenga algunas recomendaciones personales. Internet también es excelente para encontrar cosas para hacer y con bastante información para que la actividad encaje con su presupuesto.

HORNEE PAN

Esto podría sonar un poco como a un "campo abandonado" pero hay algo de terapéutico en ello. Lo que se debe hacer con esto es "regresar a los principios" éticos de la Madre Tierra (o en nuestro caso Padre). Se supone que el proceso de amasar pan debe apaciguarlo (en vez de ser erótico) y cuando lo haya terminado puede incluso hacerse un emparedado con el fruto de su trabajo. En mi caso encontré que esta actividad era un poco extraña, pero muy divertida si la compartía con mis hijos; de pronto hasta puede surtir el mismo efecto calmante para ellos. Aparentemente, John Lennon solía hornear pan para este propósito específico. Lo que no es muy claro es si lo adoptó o no *después* de haberse casado.

COMPRE ROPA

¡Tenga cuidado! La manera como luzca puede hacer maravillas en su forma de sentirse, pero no se deje tentar por una transformación total sin el consejo de un tercero. Encuentre su propio consejero de estilo quien será lo suficientemente honesto como para decirle cuándo luce estúpido. Recuerde: el objetivo de todas estas actividades es incrementar su autoestima y no proporcionar diversión y entretenimiento a las personas que lo ven caminando por la calle. La mayor tentación de todos es lucir jóvenes y modernos bajo la creencia equivocada de vernos fascinantes, atractivos para las mujeres y para nuestra ex cuando vea lo interesantes que podemos ser. Todo el mundo pensará que fue un idiota, incluso usted mismo, cuando en unos años mire hacia atrás. Una vez trabajé con un tipo que se hizo toda clase de cambios para lucir como George Michael, en el vestuario, la barba y todo lo demás; qué idiota (si ve, se lo dije).

Escriba una carta

Un buen punto de partida es elaborar una lista de todos los viejos compañeros con los cuales quería mantenerse en contacto pero nunca estuvieron cerca. Puede que después de la separación encuentre que no "cuidó" de los amigos, por lo tanto será necesario ir atrás y revivir las amistades que tenía antes del matrimonio. Antes de que se siente y descubra cuán atroz es su vida, piense en las personas a quienes les va a enviar la carta y escriba lo que cree que ellos quisieran leer. Una buena idea es preguntarles cómo están y qué ha sucedido desde la última vez que los vio. Existe algo maravillosamente tranquilizador al plasmar los pensamientos en el papel. Es posible que descubra que la vida no es tan mala como creyó y quizá obtenga el premio adicional de recibir una contestación. Personalmente, no puedo pensar en nada mejor que recibir un correo que no incluya la oferta de otra tarjeta de crédito o la advertencia de lo que sucedería si no cancelo la actual.

Alquile una película

Alquile cualquiera que se ajuste a su género preferido (terror, acción, aventura, ciencia ficción o fantasía); puede que su pareja anterior no compartiera sus gustos. Ahora no importa porque puede sentarse e identificarse con la clase de entretenimiento que le gusta (por ejemplo, detener y rebobinar el pedazo donde Clint dice: "Sigue adelante mocoso, alégrame el día"). La tensión que obtendrá mirando Indiana Jones en lugar de (*otra vez*) Bridget Jones en verdad es difícil de medir. Es mejor una buena película con la que se pueda distraer. Soy bastante aficionado a las comedias en blanco y negro de Ealing, o las primeras películas de la "Señorita Marple" con la estupenda Margaret Rutherford. ¡Increíble!

Planee una sorpresa

De nuevo, esto es algo que puede hacer para los niños. No tiene que ser para una ocasión especial, y en tal caso nada costoso, simplemente algo fuera de lo común. Me inclino a decir que todos adoran las sorpresas, pero debo atenuar esta afirmación advirtiendo que los niños no siempre están de acuerdo con el plan —hasta los campeones de tiro fallan—, prepárese para esa contingencia y no se enoje o desilusione si no todos muestran una total alegría. Mejor dicho, si conoce a sus niños, la mayoría de veces hará lo apropiado. En un cumpleaños de mi hijo sólo estuve un par de horas con él, no tuve el tiempo suficiente para preparar una fiesta apropiada y ningún lugar dónde hacérsela, entonces lo que hice fue recogerlo en el "coche fiesta" y manejamos hasta donde mi hermano sólo para saludar. Llené el interior del automóvil con globos, serpentinas y banderas, puse el "Cumpleaños feliz" y le di ponqué y palomitas de maíz para el viaje. Esto fue mejor que una "comida feliz" en una noche de viernes.

HAGA UN PLAN

Una de las peores cosas que puede hacer cuando está decaído es ir a la deriva. Es perder tiempo, es contraproducente y detiene la sensación de sentirse bien. Como con todas estas actividades, vaya despacio. Piense en objetivos alcanzables, no en los cambios de vida. Escoja cualquier área de su vida y tome una decisión sobre cómo quiere cambiarla, luego establezca un período realista, piense en los pasos que va a tomar y a qué "meta" quiere llegar. Realícelo de manera progresiva y pronto usted encontrará que ha hecho toda clase de cosas que nunca pensó que fueran posibles (diferente a la "Danza del vientre para mayores de cincuenta").

SALGA A CAMINAR

Sé que piensa que he perdido la ruta y que estoy repitiendo el primer punto de la lista, pero esta caminata tiene un objetivo diferente al ejercicio. Aparentemente, no tenemos "tiempo de detenernos y observar", pero si quiere darse ese tiempo lo puede hacer. Escoja un lugar que pueda ser inspirador —la playa, un bosque o un sendero— y déjese llevar. Puede escoger entre reflexionar acerca de lo que ha estado sucediendo en su vida o apreciar lo que está a su alrededor. Respire profundo y absorba la belleza de la naturaleza; cuando se dé cuenta de cuán pequeño es dentro del inmenso cuadro del mundo en toda su extensión, será mucho más fácil conseguir un sentido de proporción acerca de las malas situaciones que enfrenta. Me dirigí a la costa de Cornish y permití que el viento me golpeara mientras observaba las olas chocando contra el malecón. Es una experiencia tan impresionante que después es difícil no sentirse mejor.

Probablemente ha encontrado que muchas de estas cosas tienen algo en común: son diferentes a las que está acostumbrado a hacer. Con frecuencia, puede ver al nuevo tipo enajenado con un peinado demasiado joven para su edad, el vestuario excesivamente moderno y (cielo santo, ayúdanos) el Ferrari usado. Todas estas cosas tienen el mismo propósito: cambiar lo que se usaba antes. Ya le he advertido acerca del cambio radical, pero sostengo que el principio de cambio debe permanecer. Necesita comenzar por verse con una nueva luz, una leve reinvención puede hacer maravillas para su autoestima y no tiene que costar un dineral. Como lo dije antes, todas estas cosas no encajan para todas las personas, se trata de cambiar la manera de pensar acerca de sí mismos. Esto no tiene mucho que ver con el recorrido sino con el destino.

Reedificar su propia autoconfianza es una parte esencial para sentirse mejor acerca del futuro, y todo esto está sucediendo en un punto de su vida en que quizá esté luchando emocional y financieramente al igual que de muchas otras formas. Conocerse a sí mismo y comprender lo que pasa a nuestro alrededor constituyen una gran ayuda. Hacer algunos cambios, sin exagerar, aunque no sea fácil, le devolverá una imagen de sí mismo más positiva.

Uno de mis grandes defectos siempre ha sido querer encontrar una solución instantánea para todo, como si hubiera alguna clase de ecuación matemática en la que si tiene los datos y fórmulas correctas y un pensamiento lo suficientemente lógico, pudiera encontrar el significado de la vida. Si he aprendido algo durante el proceso de divorcio es que algunas cosas no tienen respuesta ni hoy, ni mañana, ni durante mucho tiempo; además, trabajarlas requiere paciencia y en algunos casos nunca habrá lo que yo consideraría un resultado, sino sólo una solución negociada.

Sin lugar a dudas, en esta fase inmediata de postseparación es cuando más difícil es ser un gran padre, ya que hay demasiados conflictos convenciéndolo a usted mismo de que no vale nada. Algunas veces, a causa del estrés, perderá el control con los niños cuando no es su culpa, pero una vez las cosas se hayan calmado de nuevo, es bueno y no hace daño darles una explicación y disculparse.

Un domingo a la hora del almuerzo estaba malhumorado y aunque no era su culpa, la emprendí contra mis hijos. Luego, mi hijo dijo súbitamente: "¿Por qué estás siendo tan malo conmigo?". Le respondí fuertemente: "¡Porque es mi trabajo!". Después, un poco más calmado, le pregunté: "¿Por qué me toreas tanto?", y él respondió: "¡Porque es mi trabajo!". Esa me la ganó.

Entonces, la buena noticia es que los niños pueden ayudarnos a superar todo esto y le dan una razón para que se vuelva a querer. ¿No es estupendo?

SOLITARIO

¡ENTONCES ES USTED DE NUEVO SOLTERO!

Una vez que el trauma inicial de la separación ha comenzado a sanar existen algunos temas que tendrá que tratar de nuevo como parte de una vida normal, aunque un tipo de normalidad diferente. Esta incluirá momentos en que los niños están con usted y otros en los que no, cuando de hecho usted está solo. Ese es el tema de este capítulo.

De vez en cuando, en las relaciones a largo plazo todos anhelan los buenos viejos tiempos, cuando estaban solteros y podían hacer exactamente lo que querían. Ahora está aquí, por lo tanto debería estar feliz, ¿cierto? Sin embargo parece, como en la mayoría de los casos, que el pasto es más verde al otro lado de la cerca. ¿Recuerda cómo se veía este campo de "soltería" desde donde estaba parado? Parecía tener un matiz más interesante, pero por alguna razón, ahora, cuando mira hacia atrás, hacia donde estaba... ¿es un espejismo o es que el campo del "compromiso" que usted acaba de dejar se ve mejor? Estoy desarrollando este punto porque cuando se trata de ser feliz, lo que puede hacer es tomar lo mejor de lo que se tiene. Es bueno mirar hacia atrás con cariño o hacia el futuro con optimismo, pero usted está viviendo el "ahora". Entonces siga adelante.

El presente capítulo se refiere al proverbial "juego de las dos mitades". Inicia con todas las desgracias con las que quizá tenga que lidiar en el futuro inmediato, lo cual significa que entrará en el segundo tiempo más o menos con un marcador 6-0 en contra. Pero ármese de valor; un buen equipo habla en los camerinos y usted saldrá al campo a luchar, preparado para ganar contra todos los pronósticos. Esta analogía de fútbol ya está un poco gastada, así que prosigamos.

LAS COSAS MALAS

SOBREPONERSE A LA CULPA

He sostenido un argumento con un amigo acerca de si mi culpa católica está cargada de muchos más golpes de pecho que su culpa judía, que de por sí viene con acceso directo al guardarropa, repleto de penitencias hasta el techo. Para ambos, aun cuando vivimos exageradamente libres de culpa, podemos sentirnos culpables por no sentirnos culpables.

Después del rompimiento de su relación, puede sentirse culpable acerca del efecto que todo esto está teniendo en los niños, se siente culpable sobre la reacción de sus amigos íntimos y su familia, se siente culpable por no haber hecho más para salvar la relación, o incluso se siente culpable por haberse ido.

Tome conciencia, todos pasamos por esto, por lo tanto no permita salirse de perspectiva. Trate de no preocuparse. Una cosa de la cual creo que no debe sentirse culpable es de tener un poco de inofensiva autocomplacencia, de hecho la terapia individual lo puede animar bastante.

Creo que lo único que necesita considerar, al igual que con todas estas cosas, es cómo esto afecta a los niños. Puede ser que comprar ropa nueva o ir al gimnasio lo haga sentirse mejor consigo mismo, así que el efecto es positivo. Se sentirá más feliz, incluso cuando los niños estén con usted, ellos lo percibirán de esa manera, y todos ganan. Como lo mencioné anteriormente, parte del proceso de convertirse en un gran padre es sentirse bien con usted mismo de nuevo. Definitivamente existe una correlación directa entre la culpa y la autoestima, mientras más positiva sea su actitud, menos culpable se sentirá. También ayuda si tiene a un allegado cerca (amigo, miembro de la familia) para que le diga que lo está haciendo bien y que está haciendo un gran trabajo criando a los niños.

SOLEDAD

Algunas veces nos sentimos solos, pero algunos de nosotros somos más propensos que otros. Si tiende a estar solo demasiado tiempo, necesita tener conciencia de que esto puede convertirse en depresión. En la clase de cultura machista donde crecí, la depresión era un término utilizado para alguien que parecía un poco callado; ahora, en tiempos más vanguardistas podemos ser lo suficientemente honestos para reconocerla como una enfermedad.

Al igual que con algunos de los factores de estrés a los que he hecho alusión, este es otro caso donde la mejor alternativa es ir al médico; si en verdad se siente un poco solo, existen otras cosas que puede hacer. Ojalá tenga una buena red de apoyo de amigos y familiares quienes se unirán para ayudarlo; es el momento preciso para mantenerse en contacto con ellos.

No es una cosa de amigos invitar a un *chat*, pero a veces lo hago. Envío con más frecuencia un par de correos electrónicos para que sepan lo que estoy haciendo y para saber de ellos. Incluso a veces pretendo ser un adolescente y mando un texto o dos. Todo esto lo previene de hundirse en un estado muy sensible de autocompasión. Usted aprende rápidamente el verdadero valor de la amistad, pero también tiene que darse cuenta de que es necesario sacrificarse si va a recibir algo a cambio. Hacer una buena acción por otra persona, interesarse por su vida, escuchar sus problemas o triunfos no tienen recompensa directa; por lo menos no debería esperar ninguna. Sin embargo, con el tiempo uno "recoge lo que siembra" y tener una actitud desinteresada casi siempre da como resultado que alguien, en algún lugar, alguna vez le devuelva lo que ha hecho.

MANEJAR EL ENOJO

Cuando estamos bajo estrés actuamos fuera de contexto. A veces decimos más groserías, somos menos tolerantes y por lo general perdemos el sentido de proporción normal en el que nuestro ser en calma acostumbra vivir. Si tiene el tiempo y la energía para hacerlo, un poco de "análisis de la situación" no sobraría. Si encuentra que está perdiendo la paciencia con más frecuencia, piense con quién la pierde y por qué.

Escuché una historia muy buena acerca de un ejecutivo de negocios que estaba tratando desesperadamente de controlar sus arrebatos de enojo, que con frecuencia ocurrían durante las reuniones que él presidía. Para entender mejor sus sentimientos, se le sugirió que calificara de 1 a 10 sus sentimientos de enojo en intervalos regulares durante la reunión (en secreto, por supuesto). Después de practicarlo en varias ocasiones, descubrió que existía un patrón. Al parecer su ira emergía cuando salían a flote temas para discutir sobre los que él no estaba preparado adecuadamente o no había sido informado al respecto. En cierto sentido su falta de control lo llevaba a la frustración, que rápidamente se tornaba en enojo. Cuando descubrió que ese era su caso, pudo manejar mejor sus sentimientos, preparándose con anticipación a la reunión o reconociendo que necesitaba ejercer un mejor autocontrol cuando surgían tales circunstancias.

El equilibrio del poder en cada una de nuestras relaciones se relaciona con el enojo. Tenemos menos probabilidad de insultar a nuestro jefe que a alguien que trabaja para nosotros; esto sucede cuando alguien cree que puede salirse con la suya. Casi de la misma manera, es fácil enojarse con los niños, usted es más grande que ellos, sabe más que ellos, tiene más responsabilidades que ellos, es la parte dominante y está "a cargo" de la relación. Sin embargo, eso no quiere decir que sea justo. Si está enojado con ellos, tómese un minuto para pensar de quién fue la "falla". ¿Realmente hicieron algo con mala intención para hacerlo enojar o usted sobredimensionó una situación que formaba parte de la vida normal?

¿Si se le extraviaron en esa tienda de juguetes, realmente lo hicieron para hacerle sentir pánico porque pudieron haber sido secuestrados, o quizá sólo se estaban comportando como niños en una tienda de juguetes? Existe un nivel apropiado de enojo y siempre se dice que se debería castigar la acción y no al niño, así que en este caso bien puede mostrar sus emociones, pero rápidamente debería explicarles que cuando se alejan usted se preocupa porque teme que puedan perderse. En el futuro aconséjeles que si ven algo que les llame la atención, se lo digan para que usted los lleve a verlo.

Autoestima

Desafío a cualquiera que se encuentre soltero otra vez a no sufrir una crisis ocasional de confianza. Si no encaja en esta categoría, entonces usted debe ser supremamente arrogante.

Por supuesto, es muy poco probable que nosotros los tipos grandes y fuertes revelemos tan pronto temas relacionados con nuestra autoestima. Simplemente nos vestimos con nuestra cara más valiente y miramos al mundo directamente a los ojos, mientras de manera privada deseamos que sostenga nuestra cabeza en su pecho tibio perfumado y nos susurre suavemente: "Tranquilo, todo estará bien".

En el campo del trabajo, sobreviví muchos años como ejecutivo, a sabiendas de que yo estaba fingiendo. Para mi asombro, mis coetáneos que estaban preparados para discutir el tema se sentían igual de farsantes, lo que me permitió llegar a la conclusión que simplemente pensamos que todo el mundo se sale con la suya. Incluso los jefes de más alto rango sufren este "síndrome del forastero", pensando que alguien les va a tocar el hombro para decirles: "Usted ha sido descubierto". ¿Ahora, esto no lo hace sentir mejor acerca de sí mismo? Ya ve que bajo la superficie nadie es tan bueno como la gran imagen que proyecta al mundo. Todos hacemos lo que podemos para arreglárnoslas.

Ahora es soltero una vez más, el único momento en que realmente necesita eludir este truco con suma gracia es cuando esté con los niños. No puedo imaginarme que esto les ayude del todo si piensan que su padre es un perdedor o si ellos piensan que su padre piensa que él es un perdedor o si ellos piensan que usted piensa...

Autoabuso

Estar sensible, libre y solo puede ser una combinación fatal. No hay quien vigile su comportamiento ni nadie que le ponga freno a sus excesos. Estos pueden variar en cada uno de nosotros, pero en la sociedad actual es muy probable que causen daño si se salen de control. Todavía no he encontrado a nadie cuyos excesos de satisfacción hayan sido cosas buenas. "Sí doctor, me preocupa un poco que tal vez estoy en muy buena figura y forma, especialmente porque en este momento estoy realizando mucho trabajo de caridad y leyendo todas las obras clásicas de la literatura inglesa". Un escenario mucho más probable es aquel que implique abuso de sustancias, alcohol y/o drogas, fumar y una dieta inapropiada. Adivine qué: nada de esto hace que sea atractivo o una mejor persona.

El sexo también puede llegar a ser un tema (que le dejo a su imaginación); Internet puede ser un sitio peligroso para hombres solteros de cierta edad. Las nuevas relaciones también pueden complicar el paisaje (sobre todo en la forma como lo enfrente luego), pero no hace ningún daño tener un descanso y ser usted mismo, de manera que pueda respirar un poco, antes de volver al combate. Con respecto al sexo, podría ser mejor apersonarse de sus asuntos.

Las cosas buenas

Fácil, ¿no es así? Todo lo que tenemos que hacer es superar la culpa, la soledad, la ira, la baja autoestima y el abuso. ¿Qué demonios haremos durante el resto del día? Pienso que al principio una de las cosas más difíciles de aceptar es que usted puede encontrarse en una caída libre emocional, incapaz de aferrase realmente a algo. El sistema de creencia que ha estado utilizando ya no aplica más y tiene que empezar por reescribir sus propias reglas.

Acerca de sí mismo

En realidad no es fácil comenzar a reconstruir sus sentimientos positivos si constantemente encuentra maneras de dañarse a sí mismo. Las tremendas complacencias que he mencionado pueden tener el efecto de embotar los sentidos (por lo menos por un tiempo) y pueden ser un lugar muy atractivo para esconderse. Aquí no quiero ponerme con sentimentalismos y susceptibilidades, pero reconstruir su autoestima no tiene que ver con que otras personas piensen que usted es un gran tipo, sino que usted crea que lo es. Un buen punto de partida es controlar lo que le da a su cuerpo; complázcase a sí mismo si lo desea, pero no todo el tiempo y sin excesos. Es mucho mejor utilizarlo como una especie de recompensa que como un hábito de tiempo completo.

Luego, es buena idea establecer alguna clase de régimen saludable (si no tiene uno) porque su estado físico influye en su estado de salud mental. Es un asunto psicológico porque si se ve bien también puede sentirse bien, pero, como hemos dicho, el ejercicio también libera endorfinas y una vez bombean todo su sistema, ¡naturalmente, debe empezar a sentirse más feliz!

Asuntos prácticos

Hay muchas más cosas en cuidar de sí mismo que una ida al gimnasio; también necesita organizarse en otros frentes, no sólo en el doméstico. El primer paso implica tener un lugar que pueda llamar propio. Con frecuencia, su vivienda durante el matrimonio está habitada por su ex pareja y, la mayor parte del tiempo, por los niños.

Una opción común para padres recién separados es vivir con amigos o familiares, pero esto sólo funciona en el corto plazo. Necesita encontrar su propio espacio, aun si es más pequeño que al que estaba acostumbrado, o que sea alquilado en lugar de comprado. A los niños poco les importa qué tan afelpada es su almohada o qué tanto brillan los muebles, lo que les importa es cómo es cuando está con ellos.

Por un tiempo alquilé una casa pequeña con un jardín tan pequeño que podía cortar el pasto con unas tijeras para las uñas. En verano jugábamos a guerra de agua y en invierno guerra de bolas de nieve y en el intermedio hacíamos algunas rondas del "Monstruo en el jardín" (algo de mi propia invención que implicaba gruñidos y fingir ser feroz). Era tan divertido que los niños no parecían advertir que no había espacio suficiente ni para columpiar a un gusano (aunque mi hija pequeña lo intentó en unas pocas ocasiones) y con gran cariño todavía hablan de ese tiempo.

También tengo que decir que esta fase de alquiler vino después de un tiempo prolongado de vivir con la familia y aunque estaré eternamente agradecido con ellos por cuidarme, cuando miro hacia atrás, el primer día de verdadera recuperación fue el día en que me mudé a esa casa, mi casa. Me hubiera gustado saber lo importante que esto era, me podría haber lanzado a la acción mucho más pronto y salvarme de muchas angustias.

Con respecto a llevar su nueva vivienda, al inicio de la sección II enuncio una buena cantidad de consejos domésticos. Lo más importante de todo es recordar que necesita un sistema que se ajuste a usted. Si es feliz al vivir en un poco de caos, entonces no se desgaste quitando el polvo para siempre y aspirando. Por otro lado, si quiere un espacio ordenado, entonces deje de estresarse para mantenerlo de esa manera. No lo olvide: la casa de un hombre es su castillo; aun cuando a veces esté boca arriba es sin lugar a dudas su castillo, su pocilga.

DEBE SALIR MÁS

Sea como fuere su vida social, ahora también tiene la oportunidad de efectuar algunos cambios. Si recientemente ha estado en una casa con niños, es probable que se haya olvidado de lo que significa salir; ahora lo puede volver a descubrir. Existe la oportunidad de volver a las cosas que acostumbraba disfrutar, pero no había tenido tiempo para ello, bien sea mirar trenes o ser un saltimbanqui. Igualmente, ahora también tiene la oportunidad de intentar cosas nuevas (vea el apartado *Cambios* en la página 60 y regrese a *Diez cosas que ayudan a la recuperación* en la página 37). Quizá descubra que sus amigos lo alentarán para que busque distracciones en placeres mundanos, como un club nocturno (ellos harán esto especialmente si todavía son solteros), pero escoja con cuidado lo que quiere hacer con su vida social. Ver a personas mucho más jóvenes y más hermosas que se relacionan entre sí, mientras que usted se queda a un lado como un burro viejo maltrecho, lo podría mandar cuesta abajo aún más. Trate de encontrar el equilibrio haciendo cosas nuevas con un poco de las cosas que le son familiares para que no se desestabilice del todo.

EL TRABAJO

Como ya lo he dicho, el trabajo es otro tema. Bien sea que lo tenga o no, o lo odie o le guste, es gran parte de lo que hace, de lo que usted es. Cualquiera que sea su posición actual, trate de mantener el trabajo en perspectiva con todo lo demás que está sucediendo. La mayoría de nosotros lo necesita para pagar las cuentas, así que no comprometerse con su contratante (por falta de esfuerzo o dedicación) seguramente no ayudará. Por otro lado, si el estrés del trabajo sumado a todo lo demás realmente afecta su salud, es tiempo de reaccionar y decidir si tal vez lo que le convenga sea un cambio de carrera. So-lía creer que dejar el trabajo es la peor cosa que cualquiera podría hacer, especialmente si otras áreas de la vida estaban en crisis. Sin embargo, fui testigo de primera mano del da-ño que un trabajo estresante puede causar y de la carga adicio-nal que debe acarrear, creo que ese es el momento de dejarlo y de volver a empezar. Si puede mantener el statu quo en el trabajo y avanzar un poco, podrá darse un tiempo para pensar acerca de su futura carrera. Ahora no es momento para tomar decisiones apresuradas como postularse para una promoción que lo llevaría a Mongolia durante algunos años. Con tantos cambios en su vida, recorte y afloje su sistema de responsabili-dad y resuelva un solo tema a la vez.

Rutina

He hecho un encabezado aparte para la rutina aunque creo que forma parte de los temas prácticos. Lo he tratado por separado porque pienso que a veces puede ser malentendido; a fin de cuentas tiene mala fama. Ya que esta palabra evoca las oscuras imágenes del trabajo pesado y la rutina diaria en la que a veces nos sentimos atrapados. Pero también tiene un lado positivo. No sólo es confiable (en un mundo que generalmente no lo es), sino que proporciona un sistema que nos evita dejar de pensar todo el tiempo sobre lo que sucederá después. De esta manera ahorramos mucha energía que de otro modo debería ser volcada en la toma de decisiones, y deja tiempo para hacer las otras cosas realmente interesantes que hemos identificado. Visto así, la rutina no parece ser un personaje tan aburrido.

Todos tendemos a ser personas de hábitos pero puede verlo de manera positiva si le dan seguridad. Cuando todo lo demás parece estar cayéndose a su alrededor, saber que todos los días tiene que levantarse y realizar diversas cosas en un cierto orden, alivia bastante. Si efectúa cambios en su rutina, es mejor que estos sean producto de una decisión consciente. Así sabrá que por alguna razón está haciendo las cosas de manera diferente. También refuerza los beneficios de depender de las cosas que conoce y en las que confía. Deshágase de toda su rutina y muy pronto no sabrá si va o viene.

CAMBIOS

Si comienza a preocuparse sobre cómo la rutina podrá afectarlo, existe un antídoto que está a su alcance. Tome una dosis suficiente del suero de "cambios" y muy pronto su vida volverá a estar perfectamente en equilibrio. El concepto de la zona de confianza es muy conocido, y todos nosotros nos sentimos menos tranquilos en algunas situaciones que en otras. Un amigo mío es un gran viajero y, sin quererlo, me hace sentir muy aislado y literalmente poco práctico. Indudablemente hay cosas que hago que él no emprendería con tal comodidad, pero igualmente envidio su espíritu pionero de aventura. El punto es que forzar los cambios, salirnos de nuestra zona de confianza es una excelente manera de sentirnos realizados, sólo porque estamos haciendo algo que nunca pensamos hacer.

Vale la pena hacer una lista de una docena o más cosas que siempre haya soñado pero nunca tuvo la motivación, el valor o el tiempo para llevarlas a cabo; entonces escoja una o dos y hágalas. Si es de ayuda, utilice las sugerencias de la sección anterior o proponga sus propios objetivos; de cualquier manera estos hacen maravillas por su autoestima.

¡AYUDA, ME ESTOY AHOGANDO!

Existen algunas cosas malas que deben enfrentarse, y algunas cosas buenas que pueden ayudarlo a superarlas. Claro, hacer esto solo requerirá de una voluntad de acero si quiere lograrlo por sí mismo y no debería considerar un fracaso pedir ayuda. Consejo: alguien que lo escuche, un hombre para llorar o un amigo para compartir, forman parte del regreso a la normalidad. Su familia y los viejos amigos son las fuentes más confiables de consuelo, especialmente cuando se trata de asuntos emocionales. Sin embargo, los amigos y contactos nuevos pueden ser excelentes cuando llegan a ser más prácticos; quizá conozca a alguien que pueda darle un consejo en finanzas, ponerse en forma, encontrar lugares para ir con los niños, sobre cómo organizarse, sobre asuntos domésticos, etc. No tenga miedo de preguntar.

Generalmente, cuando las personas escuchan acerca de su cambio de circunstancias, harán lo mejor para ayudarle, pero también existe una última advertencia: piense en la persona con la que usted va a confesarse. El confesionario puede ser un lugar peligroso si el lado del sacerdote está siendo ocupado por su jefe. Un buen amigo mío, quien tuvo el dudoso privilegio de ver desde afuera la desintegración de mi relación, me dijo que cada vez que uno cuenta la historia llega a ser menos dolorosa, lo que resultó siendo cierto. En el camino pude haberla contado a una o dos personas a quienes ahora lamento haberles puesto esa carga. Mirando hacia atrás me siento bastante insensato por haber compartido tanto con personas cuyo nivel normal de intimidad conmigo no fue más allá de compartir una cerveza (con suerte ellos bebieron tanto después de que me fui que no recordaron nada al día siguiente).

SER SOLTERO

En términos generales, ser soltero no tiene nada de malo, a menos que añore desesperadamente el amor de una buena mujer, en cuyo caso le recomiendo que continúe leyendo, puesto que más adelante hay una sección completa sobre este tema. Aunque quizá usted haya comenzado a ver cómo las diferentes partes de su vida se pueden arreglar y cómo puede volver a sentir bien con usted mismo. En lo que concierne a los niños, el resultado más importante de esto es que usted será feliz y en la mayoría de los casos ellos también. De repente, usted es un gran padre.

Diez cosas maravillosas
sobre volver a ser soltero

En caso de que este apartado lo haya deprimido un poco, he reunido mi propia lista de cosas para animarse. Le apuesto que si se detiene a pensar en ello puede proponer las suyas.

1. Usted tiene el poder del control remoto, nunca más tiene que mirar cualquier tema de niñas en televisión, en vez de eso, si quiere, puede escoger cosas como "Hombres y motores", "Pie Grande", las repeticiones de "El ejército de papá" o una carrera de desnudos pro celebridades en el canal Testosterona Plus.

2. El tubo de la crema dental siempre estará apretado a su manera (en mi experiencia de manera ordenada desde abajo hacia arriba).

3. Mientras hablamos del baño, puede olvidarse del problema de la tapa del inodoro. Como los hombres del Viejo Duque de York, puede estar satisfecho con el hecho de que cuando está arriba, está arriba; cuando está abajo, está abajo y cuando está sólo a la mitad, corre el riesgo de ser machucado.

4. Puede dormir diagonalmente en una cama doble, lo cual quiere decir que nunca más sus pies o cabeza se enfriarán.

5. Una noche con los amigos no volverá a ser un problema. Nunca podré entender por qué en general las mujeres parecen pensar que en esas noches se llevaban a cabo oscuros rituales satánicos que implicaban mujeres vírgenes de senos grandes. Los hombres salimos y hablamos de fútbol, de mujeres (de ma-

nera obtusa y no amenazante), hablamos acerca de política y, francamente, la mayor parte del tiempo hablamos trivialidades, luego volvemos a casa. Encuentro difícil pensar en un placer más inocente.

6. Los "hágalo usted mismo" pueden quedarse sin hacer para siempre, si es necesario.

7. Nunca tiene que fingir un dolor de cabeza ni estar al borde de recibir uno.

8. Usted hace las reglas: para sí mismo, para sus niños, para escoger cómo vivir su vida (tenga un poco de cuidado con esto).

9. Su cuenta del teléfono se reducirá drásticamente (a menos que tenga adolescentes, pero de todos modos deberían utilizar sus teléfonos móviles). Esto es porque nosotros nunca llamamos a nuestras madres con tanta frecuencia como debiéramos y se ha comprobado científicamente que ninguna llamada telefónica de hombre a hombre jamás dura más de un minuto y cuarenta y dos segundos (incluido el tiempo tomado para intercambiar los cumplidos necesarios).

10. El mundo es su ostra. Trate de escoger una que tenga una perla adentro, si no, cómase otras once y empújelas con varios litros de cerveza.

CAMINE UNA
MILLA EN SUS ZAPATOS

Con todas las cosas que los niños tienen que enfrentar mientras sus padres vuelan solos, la última cosa que necesitan es que usted empiece a jugar. Ese es su trabajo, incluso su derecho, así que dedique algún tiempo para pensar sobre cómo es todo esto para ellos y tome algunas decisiones conscientes sobre cómo se comportará en el futuro. A continuación enuncio cinco "comportamientos" que establecí para mí mismo una vez me di cuenta de que ir a la deriva no nos hacía ningún bien ni a los niños ni a mí.

Demuestre amor y cariño

Depende de muchos factores cómo nos abrimos y damos amor. Conozco hombres que con cualquier pretexto abrazarán y besarán felizmente a sus niños en público; en cambio, he tenido amigos que son mucho más reservados y considerarían fuera de lugar cualquier contacto físico.

Con respecto a esto es una buena referencia personal considerar cómo trataba a los niños antes de estar ensimismado y, en primer lugar, hacer un esfuerzo en los primeros días de la separación para magnificar sus demostraciones de afecto y para ir un poco más allá de donde pudo haber ido antes. El amor y el afecto (no importa cómo escoja demostrarlos) son un suministro interminable del yeso mágico que se adhiere y cubre las heridas emocionales y por lo menos les da una oportunidad de curarse a sí mismas. No puede hacer desparecer todas las heridas, pero puede dar alivio a almas en dificultad y les permite ver sin importar lo que ha sucedido, que todavía hay alguien con quien pueden contar.

Nuestra habilidad para dar amor y nuestra necesidad de recibirlo es algo constante a lo largo de nuestras vidas y afortunadamente ni se mide ni es costoso. Sin embargo, cuando somos adultos, también tenemos la habilidad de racionalizar esta parte de nuestra existencia en el contexto de todo lo que sucede a nuestro alrededor. Los niños son menos capaces de hacerlo, para ellos el mundo es mucho más en blanco y negro. Entre más jóvenes son, necesitamos exagerar y acentuar más nuestros comportamientos; cuando usted "habla como bebé" con un recién nacido tiende a hacer enormes gestos de satisfacción, sonriendo como un idiota y hablando con una voz bastante exagerada (¿entonces quién es el chico encantador?). Esto disminuye al punto en donde un suave gruñido o un simple gesto es suficiente para saludar a un adolescente; de hecho, cualquier otra cosa podría ser considerada bastante vergonzosa. Por el momento, trate de hacer algo intermedio.

No los sobrecargue

Podría encontrar su propio cuadrilátero de lucha un poco estrecho durante lo estresante que puede ser volver a encontrarse solo, pero en realidad no es momento de utilizar a los niños como consejeros de estrés. Ellos tienen sus propios asuntos para enfrentar. Todos hemos estado en una posición donde hemos tenido una competencia de "mi vida es peor que la suya", lo cual implica actuar como un perro en su comedero en esa clase de días en que nadie quiere conseguir su "gran obra maestra". Puede pensar que los desafíos que ellos enfrentan son menos numerosos u onerosos que los suyos. En todo lo que ellos tienen que pensar es en qué casa están. Usted tiene un sinnúmero de problemas que incluyen estrés emocional, preocupaciones de dinero, asegurar una vivienda, divorciarse, trabajar demasiadas horas... y la lista continúa. Pero el hecho de que pueda hacer una lista más larga, no significa que los asuntos de ellos sean menos complejos que los suyos.

Pienso que el único momento en que ellos necesitan saber cuál es su sufrimiento es cuando innecesariamente usted ha descargado su estrés en ellos. Si pierde los estribos y ellos tienen la madurez suficiente para admitirle que tenía que ver más con su incapacidad de mantener todas las cosas funcionando que con cualquier otra cosa de malicia inherente en su comportamiento, creo que es bueno explicarles que usted se siente más susceptible que lo usual porque tiene muchas cosas en mente. Sacar el estado de cuenta de su tarjeta de crédito y subrayar el saldo pendiente puede ayudar sustancialmente a justificar su caso, pero no le añade mucho a la comprensión de los niños, es preferible mantener la angustia como algo general. Si encara estas circunstancias, existe la oportunidad que los niños (sensibles como ellos son) asimilen esto y comiencen a preocuparse en su beneficio. Por eso siempre estoy listo para indicarles que todos los problemas son transitorios y las actuales dificultades pasarán pronto, de manera que ellos no tienen por qué preocuparse.

SEA UN ADULTO

Si el mundo se ha salido de su curso, puede apostar que el mismo destino ha recaído en los niños, pero usted es el adulto aquí, por lo que ellos pueden esperar que usted tome las riendas. A fin de cuentas, en el pasado ellos han estado acostumbrados a verlo "resolver cualquier tipo de situación"; los ha alimentado y bañado, les ha dicho "tranquilos, tranquilos" cuando se han hecho algún daño y les ha amarrado los cordones de los zapatos en innumerables ocasiones; desde donde ellos observan, usted es la fuente confiable de todo conocimiento, consuelo y comodidad. Si ahora están en una posición donde su mundo se ha desestabilizado, ¿a quién cree que van a buscar si no es a usted?

En cuanto le sea posible, intente salir durante el tiempo que sus hijos están con usted, aunque antes y después no esté en condiciones de salir. La inmensa flexibilidad de los niños significa que ellos pueden ser su apoyo si lo necesita, pero no es agradable mirar hacia atrás y darse cuenta de que ellos eran su muleta emocional cuando debió haber sido al revés.

Le recomiendo no evitar todas las discusiones acerca de lo que sucede, pero es mucho mejor si ellos marcan la pauta en lugar de imponerles una versión casera de "la hora de hacer preguntas". Intente participar en los temas sin mostrarse insensible. Es fácil hablar indefinidamente acerca del pasado y de cómo todos hubiéramos deseado que las cosas fueran diferentes, pero lo que importa es el aquí y el ahora, junto con lo que espera que suceda después.

En ese sentido es fácil hacer toda clase de promesas que olvidará (en esta etapa de la separación a veces es difícil recordar incluso hasta su propio nombre), pero puede apostar su vida a que si dice ¡todo estará bien y podemos ir juntos al parque de diversiones en el verano!, ellos lo recordarán aun cuando usted no lo haga y no hay nada peor que incumplir una promesa a un niño.

En términos generales, necesita hacerles creer que tiene el control (aunque no sea así), por lo tanto sus hijos estarán probando sus habilidades de actuación. Ayudará si piensa en las cosas que ya ha solucionado y pone mayor énfasis en ellas, pero si todavía está inseguro de dónde va a vivir o cómo va a pagarlo (porque todavía no ha establecido la parte financiera con su ex pareja), trate de evitar una discusión profunda sobre estos temas. Las posibilidades son que algunos de estos asuntos ni siquiera afecten a los niños, ellos simplemente asumirán que todo va a ser resuelto. Mi consejo sería dejarlos en este estado de feliz ignorancia y dedicar sus energías para superar algunas de las dificultades prácticas cuando ellos están con su mamá.

SEA EQUILIBRADO

Como un "padre de fin de semana" existe una gran tentación al pretender hacer que el tiempo que pasa con los niños sea perfecto en todos los aspectos. Desde su propio punto de vista, la alegría de verlos puede provocar una clase de "utopía romántica" donde todos son felices y nunca se alzan las voces con furia.

Al mirar esto a través de su ojos, especialmente en los primeros días, visitarlo parecerá todo un acontecimiento. Eso está bien por un tiempo, pero el objetivo que usted debe perseguir es que sus hijos sientan que estar con usted forma parte de la vida normal. Puede que el lugar de los acontecimientos y las personas hayan cambiado, pero no es nada fuera de lo normal.

Puede parecer que usted necesita tener una política de no darles "gusto", que en estas circunstancias se vería un poco severa, pero en realidad el énfasis está en el equilibrio, es decir, usted debería pensar en cómo les dio gusto en el pasado e intentar no permitir que la situación actual lo fuerce a hacer las cosas demasiado diferentes. Con esto regreso a uno de los temas principales del libro: ser un gran padre se refiere más a las experiencias que les brinda que a las cosas que les compra. Cualquier cosa que adquieran es transitoria pero sus recuerdos, si son buenos, perdurarán para siempre.

Todos hemos escuchado muchas veces que la vida está llena de altibajos y pienso que eso es bueno. Si por cualquier razón mis hijos están "tristes", hablo con ellos sobre los contrastes que son necesarios para que apreciemos las cosas buenas de la vida, por esto les digo que a veces hay que tener malos momentos para poder apreciar apropiadamente los buenos. Si no hubiera contraste no habría bases para la comparación. ¿Como adulto, realmente "desea que todos los días sean Navidad"? Lo dudo, porque podemos racionalizar el hecho de que los momentos especiales son precisamente especiales porque no suceden todo el tiempo.

De la misma manera, si pierde el equilibrio natural en darles gusto a los niños, pronto se convertirá en una norma y una vez esto suceda será difícil hacer que algo parezca especial. La desventaja adicional es que cuando usted los malcría, no es de sorprender que ellos actúen como "niños malcriados", pues sus expectativas aumentan (y su habilidad para argumentar se desvanece), entonces su gratitud disminuirá y usted entrará en una espiral descendente al tener que proporcionar cada vez más y más gustos sólo para mantener el mismo nivel de apreciación.

Los niños tienen una habilidad innata para sorprendernos una y otra vez, y a menudo son las pequeñas cosas, sin importancia a nuestros ojos, las que realmente los emocionan. Si puede desarrollar la habilidad de ver el mundo a través de sus ojos, podrá darse cuenta de que su comida favorita o acostarse más tarde puede darles tanta satisfacción como una ida al cine o al parque.

Una vez más el equilibrio es la clave, si les permite una media hora extra al terminar el día para ver "Las grabaciones policíacas de las persecuciones más locas del mundo", asegúrese de que ellos sepan que fue su decisión darles este tiempo adicional, y no que no deseaba levantarse para llevarlos a la cama.

SEA FELIZ

Sí, sé que nunca pudo haberse sentido más miserable, pero ¿necesita saberlo todo el mundo? Una de mis posesiones más valiosas es un separador de libros hecho por mi hija cuando tenía siete años. Su maestra ayudó a la clase a hacer los señaladores como obsequios para el Día del Padre, con la instrucción que debían hacer un dibujo del papá (siempre es una causa de gran alegría) y algunas palabras que lo acompañaran. Bendigo su corazón, ella me dibujó con más pelo del que realmente tengo (o jamás haya tenido) y escribió: "Adoro a mi papi porque él siempre está feliz". Por supuesto, esto no siempre es cierto, pero durante los momentos en que no lo estoy, si leo estas palabras, es difícil no sonreír y no puedo pensar en una mejor manera de ser percibido por mi hija.

Si aceptamos la teoría que desde el momento en que ellos nacen, los bebés emulan nuestros comportamientos, copian las cosas que hacemos e imitan nuestras acciones, entonces si tenemos un comportamiento alegre es mucho más probable que ellos también. De igual manera, usted sabe que si está distraído o deprimido, los niños captan rápidamente su condición y en poco tiempo ellos sentirán las mismas emociones.

No soy psicólogo por lo tanto aquí no hay ciencia, pero tengo la firme creencia que el estado de ánimo es una condición mental y si actuamos de cierta manera, *llegamos a ser* de esa cierta manera. Lo que estoy diciendo es que si mira el mundo exterior como si tuviera una actitud diabólica, entonces antes que nada comenzará también a sentirse así. Bueno, he oído la letra de "Las lágrimas de un payaso" de Smokey Robinson y como todos los demás ha habido momentos donde lo último que quise hacer fue ser sociable y alegre, pero en general si usted pone buena cara, el buen humor lo seguirá.

De cierta manera este es el punto del libro porque su felicidad no sólo es importante para usted como persona, sino que también es un elemento crítico para medir qué tan bien se sienten sus niños. Supongo que la gran artimaña es armonizar su felicidad, es decir deberá cerciorarse de que lo que hace y cómo es su comportamiento no es ajeno a lo que los hace felices. He dedicado un apartado a este tema, como un trampolín para su futuro, pero por el momento creo que vale la pena recordar un poco de la experiencia personal, junto con una historia intrínsecamente divertida que hizo reír a mis hijos y me ayudó a entender que tengo que ser capaz de ver el lado gracioso de la vida.

La aplicabilidad de todo esto en mi búsqueda para ser un gran padre soltero es que a veces la vida es cruel y sin importar qué tanto lo intente, sus niños van a aprender la lección por sí mismos; ellos descubrirán la desilusión y se sentirán defraudados. Pero encontrar el lado divertido es un gran antídoto y ayuda a construir la clase de flexibilidad que todos necesitamos para ser capaces de enfrentar el mundo moderno. Como ilustración, compartiré con usted uno de mis momentos más vergonzosos y lo desafío a que no lo encuentre divertido.

Mientras estaba casado (y antes de que los niños hubieran llegado), fui a esquiar a Francia con mi esposa y otra pareja. Nos turnábamos para cocinar en las noches. Mi incapacidad para dominar el francés encaja con mi falta de comprensión del sistema métrico, pues fui criado en la era del "dinero viejo" donde las viejas libras y onzas eran la moneda del carnicero.

Unos espaguetis a la boloñesa parecían la clase de premio que necesitaba después de un día en la pista, porque ayudaría a consumir las vastas cantidades de vino tinto barato que teníamos. Entramos a una carnicería atestada de residentes locales y me armé hasta los dientes con lo que creía eran las frases correctas en francés.

Llegó mi turno y le pedí al amable carnicero francés la cantidad que creía correcta (en gramos) de *boeuf hâché* (carne molida) para un festín para cuatro personas hambrientas.

Los franceses tienen un estilo al atender que nosotros nunca podríamos imitar, el carnicero tomó una hoja de papel encerado de un montón y se volvió hacia la máquina eléctrica picadora detrás del mostrador. El trozo de carne más grande que jamás haya visto sobresalía del aparato, mientras él sostenía el papel bajo la picadora. Este tenía dos botones enfrente, verde para comenzar y rojo para detener (parece que esto es un idioma universal). Primero, presionó el botón verde y un milisegundo después, con un roce, presionó el rojo. Para la gran diversión del resto de personas en la tienda, él se volvió a mí y extendió el brazo sobre el mostrador para mostrarme los frutos de su trabajo, una masa informe del tamaño de una nuez de la carne molida, con su inmortal palabra: "¿Monsieur?".

Lo divertido de todo este incidente es que él nunca esbozó una sonrisa ni levantó una ceja, como si las personas entraran a su tienda todo el tiempo y pidieran una cantidad de carne que podría alimentar a un ratón carnívoro. Y algunos dicen que los europeos no tienen sentido del humor.

La otra cosa fascinante es que al parecer también sus niños encuentran divertidas estas historias, ellos las gozan más cuando usted se burla de sí mismo, quizá porque la mayor parte del tiempo lo ven como una figura responsable y capaz, que inspira respeto. Sea feliz, la vida es muy corta para no serlo.

Lo gracioso de la felicidad es que es contagiosa, entre más tenga, existe mayor probabilidad de que los niños se contagien. Hacer que los niños se rían duro también es muy fácil y en especial les encanta cuando las cosas salen mal, lo cual usted puede manipular si quiere divertir a la multitud. Caer en la piscina "accidentalmente" es algo obvio, pero los puede divertir si derrama la botella entera de burbujas para el baño en la tina, lo que resultará en una montaña de espuma y le costará muy poco (una buena inversión). La otra táctica de choque que de vez en cuando me gusta utilizar es fingir estar enojado y gritarles a los niños algo como: "¿Saben lo que está mal con ustedes dos hoy?", y cuando ellos están callados e inseguros, sigo con: "No han comido suficiente chocolate". Esto los sorprende todo el tiempo.

Estos son mis cinco comportamientos a los que aspiro, reunidos con el beneficio de alguna experiencia y una o dos gotas de percepción retrospectiva. La manera como usted se comporta tiene un efecto dramático sobre la capacidad de los niños para enfrentar una separación. Tratar de hacer lo mejor en su propio beneficio es algo que les debemos, puesto que tendrán dificultades en ponerse de acuerdo al preguntarse por qué ha sucedido todo esto. Las personas dicen que los niños siempre se culpan a sí mismos por la separación de sus padres y no estoy seguro de que usted pueda evitarlo. Sin embargo, no hace daño decirles que no es su culpa y que a pesar del hecho de que no puedan permanecer nunca más como una familia unida, no significa que sean menos queridos por cualquiera de los dos.

A los niños pequeños les resulta difícil expresar sus emociones, quizá porque todavía no tienen las habilidades del idioma o la lógica para entender por qué se sienten de esa manera, lo que a menudo puede resultar es un cambio en su comportamiento, como si estuvieran mostrando cómo se sienten sin ser capaces de decirlo. Todo esto es bastante imprevisible porque ellos pueden llegar a ser callados e introvertidos, o pueden empezar a presentar problemas cada vez que tengan oportunidad; cualquier cosa que suceda no es su culpa. Sus emociones pueden incluir confusión, remordimiento, inseguridad o furia, que son lo suficientemente difíciles de tratar cuando uno es adulto e incluso más cuando se es un niño pequeño. Ya han pasado cinco años desde el rompimiento de mi matrimonio y creo que los dos primeros años son una locura. Tal era mi confusión y el deseo de salir todos los días que no recuerdo con exactitud cómo era, sólo sé que era bastante atroz. Mucho menos recuerdo cómo reaccionaron los niños, tal era mi superficial obsesión conmigo mismo.

Por esta razón decidí que sería buena idea permitir que ellos hablaran, y les pregunté: "¿Cómo fue todo esto para ustedes?". Fui sorprendido, sacudido y humillado ante su reacción porque ambos se apocaron y en segundos irrumpieron en llanto;

cada uno hizo el recuento de algún aspecto en particular que tenía guardado y me sentí estúpido por haber hecho esa pregunta. ¿Qué esperaba? Que ambos dijeran: "En verdad, papá, nosotros no pensamos que hubo mucha diferencia cuando te fuiste". Al saber cuánto disgusto les había causado, apenas si me hicieron sentir mejor acerca de mí mismo, pero todo lo que puedo decir para contrarrestar esto es que después de unos pocos minutos, ellos se calmaron y me aseguraron que a pesar del trauma, ahora no piensan ni un segundo en nuestras circunstancias, simplemente así es la vida. Aquí cometí un gran error al asumir cosas a favor de los niños que me hicieron pensar cuán fácil es verlos como hijos antes que verlos claramente como seres humanos diferentes (aunque se parezcan un poco a usted), con sus propios sentimientos, opiniones y emociones. Era un recordatorio inminente de que debía dejar que se expresaran con más frecuencia, pero sobre todo, para escuchar realmente lo que ellos piensan y tenerlos en cuenta, sin importar qué tan "inoportuno" pueda ser cuando esos pensamientos no encajan con lo que uno quiere.

Concentrarse en la manera como se comporta en estas circunstancias, de alguna forma lo llevará a aliviar el dolor, pero hay otras cosas prácticas que puede considerar para disminuir el golpe. Convertirse un poco en nómada y llevarlos de una casa a la otra parece no perturbarlos, pero el punto importante acerca de esto es que haga un esfuerzo consciente por crear un hogar en su espacio. Haga todo lo posible para que ellos tengan su propia habitación, un propio espacio que puedan llenar con cosas familiares de manera que no sea una nueva experiencia cada vez que lo visitan. Ellos necesitan un ancla para mantener la estabilidad y esto es un buen punto de partida.

Antes de cada visita haga los preparativos necesarios para aminorar las molestias que puedan suceder; cerciórese de tener alimentos (con el tiempo se hace más fácil) y ropa apropiada y suficiente para que no parezcan unos vagabundos cuando están con usted. Acepte el hecho de que necesitará salir más si el oso de peluche favorito de su hijo se quedó en casa de la mamá y su niño no puede dormir sin él. Usted sería un mejor padre si regresa por este en lugar de decir: "Eso es muy duro, de ahora en adelante la vida es así".

También ayuda si ha previsto qué hacer con ellos. No tiene que ser un entretenimiento a todo dar pero tener unas pocas opciones debajo de la manga es mucho mejor que deambular por ahí para preguntarse después por qué están aburridos o malhumorados. Más adelante retomaremos el tema.

Finalmente, comente acerca del contacto que establece con los niños cuando no están con usted. Creo que entre más normal sea es mejor, aunque hable por teléfono unos pocos minutos cada noche. Así podrá saber cómo les fue en su día y estar al tanto de lo que pasa en sus vidas. Tiene que ser consciente del hecho de que cuando usted los llama ellos están en sus actividades, no espere que dejen sus deberes para atenderlo. Ahora le puedo decir que si les doy a elegir entre Bart Simpson y yo, los niños prefieren escuchar por encima de todo a ese niño amarillo. Mi consejo, en estas circunstancias, es que debe chequear el horario de la televisión y llamar cuando no están pasando sus dibujos animados favoritos.

Existen muchas situaciones que se deben enfrentar al momento de una separación y mirando hacia atrás considero que no lo hice muy bien. Mi mayor remordimiento fue no dedicar el tiempo ni hacer el esfuerzo suficiente para ver el mundo desde donde los niños lo ven. Realmente hubiera querido haber hecho el esfuerzo de "caminar una milla en sus zapatos". No creo que de haber sido así todo hubiera estado bien y perfecto, pues esto siempre les va a doler, pero no es su culpa y cada gramo de esfuerzo que hace uno para ayudarlos a ver esto es un paso más productivo para ser un gran padre soltero.

MADRES SOLTERAS

La lógica dicta que por cada padre soltero debe haber una madre soltera, este capítulo ilustra lo que yo opino sobre el tema. Si todavía siente mucho resentimiento hacia la madre de sus hijos, entonces quizá no vea la aplicabilidad de esto, pero lo importante es recordar el papel que ella desempeña, en la situación actual de la vida de sus niños. Cuanto más pronto se ponga de acuerdo en esto, mejor, porque comprender cómo es la vida para los niños cuando ellos *no están* con usted significa ser un gran padre.

Debido a que ahora comparten la responsabilidad del cuidado de los niños, cualquier cosa que haga uno de ustedes afectará al otro. Esto no sólo es en términos del régimen que predomina en cada una de las casas, sino que también se refiere a temas más importantes como estipular cuánto tiempo pasa cada uno de ustedes con los niños. Si usted los ve durante los fines de semana y no es quien los cuida todo el tiempo, esto podría cambiar si usted termina en una situación que su ex esposa no puede aguantar. No importa si ella reconoce su aporte o no, sin ella la vida sería muy diferente.

Al otro lado de la cerca

Mi pronóstico es que la vida es bastante dura para la mayoría de madres solteras. Al no estar juntos es muy dudoso que ella perciba ingresos para despilfarrar. A fin de cuentas dos personas pueden vivir tan económicamente como una sola si permanecen en la misma casa.

Además, está la responsabilidad en el cuidado de los niños. Esto ya es difícil cuando se está en pareja, pero cuando uno de los dos tiene que tomar las decisiones del día a día sin ningún respaldo, la carga es más pesada todavía. Advertí, una vez separado, lo difícil que es sobrellevar esta situación, especialmente cuando los niños están siendo difíciles.

Antes, siempre había alguien que intercedía y suavizaba la situación, o cuando era apropiado le daba apoyo. De repente, eso ya no existe y no hay nadie que analice la situación. Sólo me puedo imaginar que es aún más duro para quien tiene a los niños la mayor parte del tiempo.

No me voy a detener en el peligroso territorio de estereotipar y sugerir que las mujeres sólo realizan las cosas suaves y encantadoras como arreglar un jarrón de flores, o que los hombres están fisiológicamente mejor capacitados para el mantenimiento del automóvil. Sólo quiero decir que la cantidad de cosas que se necesitan hacer en una casa con niños son mucho más fáciles de realizar si están los dos para compartir la carga. Por esta razón, tener un hombre alrededor en ciertos momentos es bastante útil así sea un poco irritante. Quizá es sólo después de que nos hemos ido, cuando ellas se dan cuenta de que teníamos alguna función que hacer.

Adicionalmente está el hecho de que nosotros realmente no podemos desempeñar "el papel" del sexo opuesto ante nuestros hijos. Los niños varones tienen problemas con ello. Poco a poco, los padres están a la retaguardia de su contraparte, las mujeres, en términos de su educación, y existen algunas escuelas de pensamiento que afirman que los padres deben esforzarse mucho más demostrando con ejemplos no sólo el beneficio de aprender, sino la manera de hacerlo. Esto es sólo un ejemplo, pero existen innumerables escenarios donde los niños se beneficiarán al tener la presencia continua de ambos padres para aprender de sus comportamientos.

Dinero

Normalmente es etiquetado como la raíz de toda maldad. Cuando las parejas llegan al último peldaño de la corte, por lo general el tema del dinero es el que está primero en la agenda. Antes el sistema legal favorecía mucho a la mujer, pero tuve que entender por medio de un consejero que en los últimos años esta posición ha cambiado un poco.

En la justicia, el sistema legal que rodea los temas del divorcio pretende poner en primera instancia los intereses de los niños. Puede discutir para siempre quién se queda con determinado CD, pero lo que debe tener en cuenta es que, aunque los dos ya no se entiendan más, las inocentes "víctimas" de todo esto son los niños, quienes se encuentran en un mayor riesgo de sufrir. Basados en esto, no existe ningún beneficio real para ellos al ver que su madre vive en una casa de cuatro habitaciones y cuando van donde su papá tienen que embutirse en un apartaestudio estrecho. Por esta razón hay una tendencia a ser más equitativo al momento de la repartición de bienes, pero debe tener en cuenta otros factores importantes, como el escenario normal en que los padres son capaces de ganar más dinero (porque la discriminación de sexo es evidente y es más difícil obtener un trabajo importante cuando tiene a cargo el cuidado de los hijos en jornada de tiempo completo), además del hecho de que en muchos de los casos los niños estarán más tiempo en el entorno materno.

Cuando reflexiono sobre mi propia conciliación, no era el dinero lo que importaba. Pienso que lo realmente interesante fue mi actitud, sin tener en cuenta cómo se veían las cifras al final. Al comienzo estaba ansioso por minimizar el trastorno de los niños, y entonces traté de conservar por un tiempo la casa donde vivíamos para mantener el hogar y yo me fui a vivir con mi hermano. Cuando me di cuenta de que esto no funcionaba y tuvimos que venderla, gastamos mucho dinero en agentes que nos escribieron cartas tontas con respecto a nuestro beneficio conjunto (craso error). Sin embargo cuando todo estuvo hecho y los rumores disminuyeron obtuve un tratamiento más bien injusto. Nunca lo miré así porque supe que dondequiera que mi esposa estuviera sería donde mis hijos vivirían la mayor parte del tiempo; entonces ¿por qué tratar de llegar a un acuerdo 50:50 cuando ellos no iban a estar conmigo la mitad del tiempo?

Cualquiera que sean las circunstancias de su acuerdo personal, sería inusual para su ex pareja estar financieramente bien como antes, por lo que ser una madre soltera lleva consigo una fuerte consecuencia financiera.

Cuando las parejas se separan, cada parte se escapa para limpiar sus heridas, con frecuencia con un bando de partidarios que les dicen que están mucho mejor sin el otro. Con referencia a esto, ellos los animan a perjudicar al otro; un consejo muy sensato porque apuesto a que los niños nunca se dan cuenta cuando usted está involucrado en toda esta guerra acerca del dinero. Sí, claro...

ESTIGMA

Siempre pienso que las imágenes que se evocan al decir ciertas palabras o frases son muy divertidas: ¿por qué los sándwiches "recién preparados" suena mejor que decir simplemente "sándwiches"? Por lo general nos formamos imágenes en la cabeza, con base en nuestras experiencias, en la cultura y los prejuicios que aprendemos de los medios de comunicación. Cierre sus ojos y piense en la frase "madre soltera" y quizá vea a una persona muy trabajadora, que hace malabares con el trabajo y el cuidado de los niños, mientras prepara un sabroso pastel de queso y huevo con la mano que le queda libre. O quizá vea a una niña de dieciséis años de edad, embarazada, con un bebé en un coche; en una mano la hamburguesa con queso y en la otra un cigarrillo. De todos modos no hay nada saludable en la frase "madre soltera".

Por otro lado, "padre soltero" puede sonar bastante genial, una persona con menos responsabilidades y que hace lo mejor por ser un modelo para sus hijos, mientras se pone en contacto con su lado femenino, preparando un sabroso pastel de huevo y queso con su mano libre.

No es justo pero está allí y forma parte de los innumerables problemas que las madres solteras tienen que lidiar. Le apuesto que esto se ve mucho más injusto desde su perspectiva y probablemente ayuda muy poco a construir su autoestima en el momento en que podría serles útil.

Otros hombres

Bien sea que quisiera irse o no, la realidad de la situación es que, aparte de los niños, ahora ambos son individuos completamente libres en el plano emocional. Para muchos hombres esto está bien porque tienen el tiempo en sus manos y la oportunidad de buscar, si lo desean, una nueva pareja.

De nuevo, este aspecto puede ser difícil para su ex pareja. No sólo tiene menos libertad porque ella cuida de sus hijos, sino porque los hombres probablemente son los que pueden tener pretendientes potenciales más rápido. La mayoría de hombres no quiere la responsabilidad de los hijos de otras personas e incluso si lo hacen, no quiere decir que todos se monten en ese bus o que no haya una deliberada tentativa de sabotaje por parte de los hijos quienes ven al nuevo entrometido como un obstáculo más entre ustedes dos.

No obstante, las ex esposas conocen a otros hombres y si esto sucede es inútil ponerse celoso o incluso si se siente inclinado a hacerlo de manera natural: *aquí no tiene derecho de propiedad*. Más bien obtenga el punto de vista de los tribunales sobre la felicidad de los niños que es lo primordial y en lo posible busque una opinión objetiva de un amigo de confianza. La mejor situación posible es si los niños ven que su madre ha encontrado a alguien que la hace feliz y que todos se llevan bien. Si en algún momento él se muda a la casa de ella, tendrá que aceptar el hecho de que él hará algunos de los deberes que usted solía hacer, pero a la vez usted necesitará tener suficiente autoconfianza en sus propias habilidades y en la relación que tiene con sus hijos, pues siempre seguirá siendo su padre. Pareciera que estoy tratando de llevar muy lejos su compasión, pero creo que vale más la pena ser servicial con este nuevo pretendiente para ver si ellos se llevan bien. Ser descortés o no tener en cuenta el hecho de que ellos pueden querer estar juntos a solas (lo cual significa que necesita ser flexible en el cuidado de los niños) es propiciar la ruina de todo antes de ponerlo en marcha y ahí no puedo asegurarle quién sea el ganador.

UNIÓN

Pueden encontrarse viviendo en casas separadas, pero existen momentos en los que necesitan presentar un frente común ante los niños. Teniendo en cuenta el día a día, no beneficia a nadie si están a punto de matarse con frecuencia, esto hace que los niños se pongan nerviosos porque tienen que tener cuidado para no decir algo equivocado sobre lo que un padre dice del otro ("Oh, debiste haber visto a papá el sábado, realmente estaba borracho"). Más allá de esto, los valores establecidos que traen consigo necesitan estar en un área de puntos comunes. Si alguno de ustedes permite que ellos digan groserías y se acuesten tarde y el otro impone una disciplina estricta, se pasarán sus vidas adaptándose a sus estilos personales. Por supuesto que habrá áreas grises donde uno les da más libertades, pero en lo principal, tendrán que hallar consistencia.

En mi caso, tuvimos suerte porque nuestra relación es muy civilizada y sabemos que no hay probabilidad de una reconciliación, nosotros hasta celebramos juntos los eventos familiares como los cumpleaños, tratando de pasar el tiempo como una "familia". Si le hacemos una fiesta a alguno de los niños, los dos participamos y compartimos los gastos; si es el cumpleaños de ella o el mío, nos reunimos para apagar las velas y cantar el "Feliz cumpleaños", situación que los niños gozan mucho, principalmente porque pueden comer torta.

Asimismo, cuando en la escuela hay tardes para los padres, asistimos los dos, aunque no siempre fue el caso a causa de la logística (yo no siempre podía estar allí al mismo tiempo) y también porque, especialmente en los primeros días, sentía que mi papel en su educación sería algo diferente debido al hecho de que ellos no estaban tanto tiempo conmigo. Ahora parece más sensato hacerlo en una experiencia conjunta porque independientemente del resultado, puede compartirlo con orgullo y triunfo o tener una charla madura sobre cualquiera de las áreas "problema" en las que sus niños de pronto puedan necesitar ayuda.

EL FUTURO

Si piensa que todo esto es muy duro o está demasiado susceptible y cree que nunca podrá encontrar el momento para intercambiar una palabra civilizada, entonces tómese un minuto para pensar en el futuro. En algún punto es probable que sus hijos también quieran casarse. Creo que es bastante extraño llegar a dicho acontecimiento, a sabiendas de encontrarse con todos sus ex familiares que no ha visto por años, pero ¿por qué estropear el día poniendo a sus hijos en la imposible tarea de elegir a quién invitar en ambos lados de la familia?

Para ustedes dos permanecer solteros no debería ser tan difícil como permanecer casados. Además, ahora disponen de una cantidad de tiempo limitado para permanecer juntos, por lo cual deberían ser capaces de aprovecharlo sin discutir. Ya que estamos en el tema, la manera como se comunique ahora es importante, utilice cualquier medio como el correo electrónico, una carta o una nota con los niños cuando sea apropiado, pero cuando se trate de cosas realmente importantes que afectan su futuro, sea lo suficientemente maduro para sentarse y discutirlo cara a cara.

Si todavía sigue peleando, entonces contemple por un momento al padre divorciado que no le dirige ni una sola palabra a su ex esposa desde el minuto en que se separaron. Cuando le pregunté cómo mantuvo contacto con sus hijos, él dijo que les había comprado teléfonos móviles a ambos y así los podía llamar cuando quisiera. Estoy seguro de que él pensó que le había ganado al sistema, pero esto difícilmente proporciona un modelo ideal para construir una relación con sus hijos.

Muchas de las parejas que alguna vez estuvieron muy enamoradas parecen terminar odiándose, pero cuando su estado de felicidad anterior dio como resultado la creación de nuevos seres humanos, trajo consigo la responsabilidad de toda una vida. Sólo en circunstancias extremas los hijos dejarán de querer a sus padres y, a largo plazo, será en su propio detrimento, por lo cual tenemos que encontrar la forma de tener un lugar para nuestras ex parejas; si no es en nosotros, al menos en las vidas de nuestros hijos.

Para la mayoría de personas el estado de "odio" es transitorio, aunque algunos lo manejan con un gran esfuerzo para mantenerlo por siempre. En su mayor parte es producido por los traumas de la separación, pero el tiempo cura estas heridas. Es mejor velar por los intereses de los hijos, de ustedes depende ser corteses entre sí y explicar a sus hijos que si el matrimonio no funcionó no quiere decir que ellos sean malas personas. No quiero que mis hijos crezcan siendo tan cínicos sobre el matrimonio y que se aparten de él, y quiero que sepan que si las cosas no funcionan, de todas maneras existe una vida por delante.

CUANDO YO ERA UN MUCHACHO

Las cosas ya no son las mismas, ¿o sí? Quiero decir, "la juventud de hoy día" no es como fue la de nosotros. Este apartado trata sobre cómo y por qué las cosas han cambiado para bien y para mal y por qué es importante reconocer la diferencia entre el ayer y el ahora en lo que respecta a la crianza de nuestros propios hijos.

Estoy convencido de que si se quiere tener éxito, la educación de los hijos necesita de un contexto.

Si intenta educar a sus hijos utilizando el formato de su juventud,
está en grandes problemas puesto que las cosas han cambiado.

Por su bien necesitamos abarcar este valiente nuevo mundo, pero primero, para nuestra propia comodidad, comencemos con una cálida y adorable reminiscencia acerca de cómo éramos. Tengo suerte de tener la capacidad de mirar hacia atrás a mi propia juventud con un verdadero sentido de afecto. Me sentí seguro, protegido, querido y recuerdo muchos momentos felices. ¿No es maravillosa esa nostalgia?

Recientemente descubrí en una revista una fotografía de una esquina muy concurrida en Liverpool en diciembre de 1957, el mes de mi cumpleaños. Lo más relevante del hecho fue que yo había nacido y había sido educado la mayor parte del tiempo en Merseyside, y esto fue una buena instantánea de cómo era la vida en mi pueblo durante esa época. Los autos se veían muy antiguos, la gente vestía con ropas "finas" (los hombres usaban sombrero; desearía que todavía lo hiciéramos, un sombrero es una excelente manera de expresarse a sí mismo), las tiendas en las calles principales llevaban el nombre del propietario, en lugar de la cadena de tiendas que domina hoy día y, por supuesto, todas las fotografías eran en blanco y negro. Quizá, cuando pienso en ello la vida entonces era un poco monocromática.

Como ve, este es el lado negativo de la nostalgia, pues tenemos la tendencia a recordar lo que queremos en lugar de ver cómo eran las cosas en realidad. Por ahora demos una mirada a los cambios significativos que han ocurrido desde que yo era un muchacho; desde el punto de vista de mis hijos, el oscurantismo.

TECNOLOGÍA

Es la primera en la lista porque no sólo es el mayor cambio sino hasta donde puedo ver continuará siéndolo en el futuro predecible. Estoy seguro de que si retrocede una generación, nuestros padres pensarían que ellos vieron algunos cambios, la introducción al mercado de los automóviles familiares (producidos en masa por primera vez, lo que permitiría que más personas pudieran acceder a ellos) y maravillosos aparatos que simplificaban el trabajo como las lavadoras automáticas, refrigeradores, implementos de cocina, etc., sin mencionar un completo y nuevo mundo de entretenimiento casero que llegó con la televisión y el radiogramófono.

Pero todo esto no se compara con todo lo que hemos visto en los últimos treinta años o más. La electrónica, las computadoras y los microchips han revolucionado la manera en que vivimos nuestras vidas; aun si quiso permanecer alejado de la tecnología, no puede evitar que la tecnología lo esté invadiendo en todo momento, desde un cajero automático hasta el modesto sistema de teatro en casa. El impacto de esto tiene repercusiones importantes para muchos de los otros puntos de la lista, continúe leyendo.

COMUNICACIÓN

Este es un tema doméstico para mí; de hecho, alguna vez escribí un libro al respecto. La mala comunicación es la culpable de todas las enfermedades de los negocios y de mucho más. Cuando los matrimonios se acaban, con frecuencia es citada como una de las causas principales. Como cantaba Cliff alguna vez: "Es tan gracioso como no hablarnos más". Aunque en realidad los cambios más grandes han ocurrido debido a la cantidad de canales de comunicación que se han abierto. Ahora por medio de los correos electrónicos y similares, nunca tendremos necesidad de estar fuera de contacto con el otro, y con el resto del mundo por medio de la televisión satelital o por las noticias obtenidas en línea. Lo que con frecuencia se olvida en medio de todos estos aparatos de alta tecnología es que la comunicación más que la *habilidad* para enviar y recibir mensajes es más el deseo de comunicarnos. Puede estar conectado al mundo de millones de maneras, pero si nadie quiere estar en contacto será la persona más solitaria del planeta.

Trabajo

El trabajo pesado que hacíamos muchos de nosotros ahora lo hace lo que los expertos llaman una "sociedad de conocimiento", ya no es importante lo que podamos hacer físicamente sino lo que sabemos, cómo pensamos y la aplicación de dicha "inteligencia". Durante años la fabricación en el Reino Unido ha decrecido y ha sido reemplazada de manera creciente por la industria de los servicios. Nuestros hijos e hijas van a enfrentarse con muchas posibilidades diferentes cuando les llegue el momento de entrar al mundo laboral. Lo divertido de todo esto es que los expertos de hace mucho tiempo hicieron predicciones acerca de cómo cambiaría el trabajo y estuvieron completamente errados. Ellos pensaban que todos estos cambios significarían nuestra liberación para vivir una vida de descanso creciente; en lugar de eso, hemos terminado agregando más horas que nunca y, como resultado nos hemos convertido en "ricos en efectivo" pero "pobres en tiempo". Si realmente le preocupa todo el equilibrio entre trabajo-vida, necesita mantener esta ecuación en mente porque no es posible que se vuelva rico en ambos aspectos. Si lo que gana es lo que realmente lo hace feliz, está bien, pero si anhela dedicar más tiempo haciendo las cosas que quiere —como por ejemplo llevar a sus hijos al parque—, entonces tendrá que disponer de algo de dinero. Cómo nos reímos frente a lo estrambótico de *La buena vida* donde Tom y Bárbara renunciaron a la carrera de ratas para vivir una existencia más pastoril, apoyados por su habilidad de sobrevivir gracias a la tierra y sus frutos. Cuando observe el estrés y las tensiones que la mayoría de nosotros sufrimos en el trabajo, considere la tempestad en la vida familiar y en su salud, ¿de alguna manera nunca más volverá a ser tan lucrativo, verdad?

RIQUEZA

Antes de que me vuelva demasiado malencarado, vale la pena recordar que todos estamos en una mejor posición económica que antes, en términos de dinero en efectivo. "Nunca antes habíamos tenido algo tan bueno". En sí mismo esto no es malo porque nos da oportunidades que las anteriores generaciones jamás pudieron tener. Gastar dinero en cosas puede ser bueno, un auto nuevo nos lleva de una manera más segura, más rápida y más cómoda de A hasta B; con los sistemas de posicionamiento global (GPS) no se perderá por el camino y dispondrá de una pantalla para que los pasajeros de atrás vean sus DVD favoritos. De la misma manera, la introducción del MP3 significa que puede relajarse con sus melodías favoritas siempre que lo desee. Piense apenas cómo esto facilita su vida. Si usted está en el metro sólo tiene que sentarse y mirar fijamente el mapa subterráneo opuesto, o preocuparse por ser atrapado por la mirada del tipo grande con la cabeza afeitada, que acaba de perderse en Mantovani (perdón, mala elección). Personalmente, estoy en contra de las cosas materiales y hago un uso más experimental del dinero; no es lo mucho que pueda *comprar* con este, sino lo que este puede hacer. Puede viajar por el mundo y literalmente expandir sus horizontes, ir y gozar de una comida fantástica, tomar lecciones de canto, aprender cómo volar (en un avión, obviamente). Hoy día si no ha obtenido una lista de 50 cosas que desea hacer antes de morirse, necesita probar su cabeza y si lo logra, entonces el dinero es una gran ventaja.

FAMILIA

Aquí utilizo el término en el más amplio sentido posible; sí, nuestra vida familiar ha cambiado, pero a veces pienso que con los más allegados el cambio fue mayor. Todos esos tíos y tías que solíamos tener, quienes realmente eran sólo amigos de nuestros padres, parecen no existir más. Cuando nací, nuestros vecinos eran el tío Bert y la tía Edie, con quienes pasaba horas en su casa y durante las cuales ella me entretuvo en muchas ocasiones sin un *gameboy* a la vista. Puedo recordar la emoción de ayudarle a preparar una taza de té y el último placer era permitirme comer un Zubes del tío Bert, que guardaba en una lata en su mesita de noche (la clase de dulces para la tos que se necesitaban cuando se fumaba 60 Capstan Rubios al día).

Los hermanos mayores y menores también tuvieron una gran influencia sobre nosotros, especialmente en las familias grandes. Muchos de los niños mayores tuvieron que aprender todo lo relacionado con la crianza mucho antes de irse de la casa, pues tenían que cuidar de sus hermanos menores desde temprana edad. La anticoncepción ha disminuido el número de familias grandes, y el cuidado profesional de los niños y remunerado prescinde de la necesidad de criar a los hermanos. Para nosotros como padres, muchos de los cambios en la vida familiar han hecho más fáciles las cosas pero también existe una desventaja. Al no tener a nadie cerca para cuidar los niños, ni a quién acudir para un consejo, nos han dejado aislados en nuestros deberes paternales y especialmente en las primeras etapas es necesario contar con alguien que "esté dispuesto" a darle un consejo. Recuerdo haber cambiado mi primer pañal y estar preocupado por si lo había puesto muy apretado. Al final solicité consejo a la valerosa partera norteña que estaba de visita, quien me preguntó: "¿el niño está molestando?". "No", respondí llanamente. "Bueno", dijo ella, "entonces no está demasiado apretado, ¿cierto?". En verdad era muy obvio, pero hubiera sido mejor no haberlo aprendido de un extraño.

Sociedad

La manera como *vivimos*, la manera como *pensamos*, la manera como *somos* son todas diferentes de cómo solían ser. Inevitablemente este cambio colectivo en nuestra psique significa que nuestro mundo ahora es un lugar muy distinto, sobre todo cuando se trata de la manera como interactuamos con los demás. Junto con la desaparición de todos esos parientes, sin ningún grado de consanguinidad, parece ser que estamos más aislados que nunca. La sociedad de la llave, en la que usted ingresaba en las casas de otras personas y ellos en la suya, ahora está en la era del olvido. De hecho, con el aumento alarmante de las comunidades cerradas, ahora no sólo necesita su propia llave sino un código de identificación personal (PIN) de seis dígitos para poder pasar la puerta principal con sus rejas de acero de puntas reforzadas, alambre de púas, minas quiebra patas y francotiradores estratégicamente ubicados. ¿No siente que ya no somos tan bienvenidos como lo éramos antes? Muchos factores que ya hemos considerado han contribuido a esto, trabajamos más horas y estamos más dispuestos a entretenernos con la plétora de tecnología disponible, ya no interactuamos de una manera comunitaria que tiene como base una familia establecida durante mucho tiempo en el área. También es irónico que los canales de comunicación que nos permiten tantas otras maneras de "hablarnos" entre sí, nos vuelven más propensos a sentarnos en casa y unirnos a las "comunidades globales" en Internet, en lugar de golpear en la puerta del vecino para compartir una taza de té y un chisme.

También pienso que los medios de comunicación han desempeñado un gran papel en la formación de nuestra visión del mundo y lo que ahora percibimos como un hecho, se lo debemos principalmente a los intereses de los comunicadores de masas al exagerar ciertos aspectos de la manera como vivimos por simple sensacionalismo. Aunque no son los únicos culpables; si no consumiéramos lo que ellos tan vorazmente nos ofrecen, no se escribiría sobre ello en primer lugar. El adagio de los medios de comunicación es: "Si sangra, primera plana", un relato sobre un asesinato siempre encabezará los titulares en lugar del triste cuento del gato atorado en la copa de un árbol.

Asimismo, la obsesión con una celebridad resulta ganadora. El anterior redactor de *The Sun*, Kelvin McKenzie fue entrevistado después de la muerte de Diana y se le preguntó si realmente era necesario inmiscuirse de tal manera en su vida personal. Él contestó diciendo que siempre que ellos sacaban su fotografía en la primera plana de *The Sun*, vendían más copias que en los días en que no lo hacían, por lo tanto quién es más culpable: ellos o nosotros.

PELIGRO

Una secuela de la forma como se presentan los reportes de los medios de comunicación es que ahora sentimos más peligro que cuando estábamos creciendo. Este es un aspecto especialmente importante con respecto a cómo tratamos a nuestros propios hijos. Los llevamos y los recogemos del colegio, no les permitimos ir a jugar al parque con otros niños (a menos que tengan su teléfono móvil y nos puedan conseguir en cualquier momento) y los desalentamos a cualquier interacción con personas que no hayamos escogido con cuidado.

¿Pero en verdad las cosas son más peligrosas ahora? ¿Suceden más atracos, asesinatos, crímenes de abuso sexual? A mí siempre me dijeron que "no debía hablar con extraños". Yo apenas tenía ocho años de edad cuando Myra Hindley e Ian Brady fueron encarcelados de por vida, entonces ¿realmente era la edad de la inocencia? Me conmuevo y entristezco tanto como cualquiera cuando escucho sobre casos como el de "James Bulger" o un "Homicidio Soham", pero si estas cosas van en aumento o no, no es un asunto que me competa a mí como padre. El verdadero asunto es que los medios de comunicación me hacen *creer* que tengo que proteger más a mis hijos.

EXPECTATIVA

Si condensa todos los factores de los que he hablado, los resultados demuestran que nuestras expectativas como ciudadanos han cambiado. Queremos más y obtenemos más, somos más cuidadosos, cautelosos y tenemos más miedo. Probablemente somos más egoístas y estamos menos dispuestos a ayudar a otros y nos preocupamos tanto por nuestros hijos que tenemos una mayor tendencia a guardarlos en una urna de cristal para alejarlos de las cosas desagradables de la vida. Pero si *nuestras* esperanzas han cambiado, estas no se comparan con las de nuestros hijos. Ellos están sujetos a imágenes de éxito, belleza, bienestar y felicidad que han sido exclusivamente fabricadas para vender "productos" que aumentan sus aspiraciones todo el tiempo. Cuando a esto se le añade la presión que sus amigos ejercen con sus ropas de marca y los últimos equipos, es fácil ver cómo podemos ser atrapados en un sinfín de gastos.

Muchas cosas han cambiado y es maravillosa la nostalgia. Lo inevitable de la vida es que cuanto más viejos nos volvemos, con mayor simpatía miramos hacia atrás. Todo esto está bien, pero tiene que recordar el *verdadero* valor del pasado y por qué esto es importante para sus hijos. Aprendemos de la historia y de la herencia, aprendemos qué nos hace lo que somos y cómo nos comportamos y obtenemos una visión acerca de la manera más correcta de hacer las cosas. En el nivel básico, la herencia nos da indicios sobre nuestro futuro, por ejemplo cuando hace referencia a aspectos de la salud. Una familia con un historial de enfermedad cardíaca es un indicador para que la generación de hoy se cuide mucho más puesto que su factor de riesgo es más alto que el promedio.

También son importantes los atributos menos obvios de nuestra fisiología. Los rasgos de carácter como la habilidad musical o un espíritu aventurero, igualmente pueden tener un efecto en la generación actual y encaminar sus carreras, incluso sus vidas.

Cualquiera que sea nuestra herencia, necesitamos reconocer que el cambio es constante, jamás ninguna generación es exactamente igual a la anterior. Heráclito afirmó: "No puede estar en el mismo río dos veces" (si regresa a la orilla, simplemente el agua fluye), lo cual es una manera de expresar cómo las cosas cambian rápidamente. De manera que será mejor acogerse al cambio y educar a sus hijos dentro del contexto de la sociedad de hoy, en lugar de la de ayer, sin olvidarse cómo su árbol genealógico contribuyó para convertirlos en lo que son ahora.

Ya he dicho que las cosas pueden parecer más color de rosa cuando miramos hacia atrás, quizá es el momento de deshacerse de esos espectáculos pintados de rosa. Si cada generación no hubiera movido las barreras, todavía estaríamos cubriendo las patas del piano como una vez lo hicieron los victorianos. Sin embargo, los niños de hoy día viven sus vidas sin importar las tentaciones a las que estén propensos, seguramente la cosa más importante que nosotros los padres solteros les podemos enseñar es una serie de valores más viejos que Matusalén a los que ellos todavía pueden recurrir para llegar a ser miembros eficaces, útiles y orgullosos de su comunidad.

Con esto en mente, he pensado en mi propia niñez y en las cosas que mis padres me enseñaron, las cuales me han mantenido firme y han sido de utilidad en la vida adulta. No pretendo decir que nunca he estado en contra de estos valores, pero eso no significa que no piense que son importantes.

GRANDES VALORES PARA ENSEÑARLES A SUS HIJOS

NO DIGA MENTIRAS

¿La honestidad es la mejor política? Puede mirar a su alrededor y ver a alguien un poco "vivo" que siempre hace una estafa en el camino, maneja una "moto rápida" y parece tener abundante dinero en efectivo. Es fácil de envidiar, pero apuesto que a mi madre no le hubiera gustado.

Existe una escala fluctuante de honestidad. La mayoría de nosotros cree que robar es algo equivocado —de no ser así la estructura de la sociedad entera colapsaría—, pero sí aceptamos el robo corporativo, incluyendo hacer una llamada personal en el teléfono de la compañía haciéndonos los santurrones. Lo importante es que seamos honestos en las cosas grandes: si ocurre un desastre doméstico (¿quizá chicle en la alfombra?), me molestaría mucho más si mis hijos me mintieran en ese aspecto que si hubieran sido lo suficientemente valientes para admitirlo.

Yo creo en el siguiente adagio:

No puede enseñar *honestidad* sin demostrar *honestidad*.

No puede ser selectivo en la forma como los niños lo imitan y ruborizarse cuando sólo imitan sus rasgos más atractivos. Es inevitable que si ellos lo pescan diciéndoles mentiras, ellos pensarán que está BIEN hacerlo. Tengo que comentar que casi no salgo de la encrucijada durante el gran debate de Santa: ¿existe o no? En el momento en que mi hijo estaba enfrentando una descarga de evidencias de sus compañeros en cuanto a que el famoso hombre gordo vestido de rojo no existía, me confesó, a manera de conspiración, que él sabía que ellos estaban equivocados porque él estaba seguro de que "yo nunca le mentiría". En fin, nadie es perfecto.

SEA CORTÉS

Decir "por favor" y dar las "gracias" nunca le hizo daño a nadie. He conocido tipos aduladores que se pasan de la raya, pero si es sincero, no se equivocará. Uno de los efectos colaterales de vivir en una sociedad que está mucho más "concentrada en sí misma" que nunca, es que es bastante fácil impresionar a las personas con la cortesía. Es una actitud tan escasa que cuando es bien utilizada, encontrará que algunas personas realmente se sorprenden. En los negocios, siempre me he destacado por mantener una relación de cortesía con las personas que me ayudaron ofreciéndome trabajo. Después de todo, sin ellos no hubiera podido pagar la hipoteca; pero en lo personal esta es igualmente poderosa.

Para nosotros es muy gratificante cuando alguien se toma el tiempo para expresar sus agradecimientos, por tanto, nunca pienso que sea mala idea hacer que los niños le escriban a algún pariente que les haya enviado un regalo de cumpleaños, o algo de dinero para contribuir con el fondo para la compra del DVD. Me he encontrado con niños que empiezan sus oraciones con "Quiero..." o todavía peor "Deme...", lo cual encuentro ofensivo. ¿Por favor me da un trago? es mucho más amable y toma más o menos el mismo tiempo para decirlo. Bueno, si somos estrictamente correctos, debería ser: "¿Podría darme un trago, por favor?". Pero este apartado se refiere a mantener la educación de sus hijos en contexto con el presente.

Sea considerado

Si todos hiciéramos a otros lo que desearíamos que nos hicieran, el mundo sería un lugar mucho mejor. Mantener las puertas abiertas, ayudar a una persona mayor con sus compras, ofrecer una mano a un desamparado automovilista son algunos de los actos generosos que los extraños hacen por otros. No hay recompensa en esto, por lo menos no en un sentido directo, pero ayuda a restaurar nuestra fe en la naturaleza humana y quién sabe, quizá usted reciba ayuda en momentos de crisis.

Cuando sus hijos ven que emprende tales actos, también estarán menos inclinados a "hacer lo contrario" y eso es un gran valor para enseñarles. El egoísmo es algo tan horrible que en verdad satisface ver a uno de sus hijos ofrecer su último caramelo en un acto de abnegación y bondad, aún mejor si el otro lo rechaza (entonces usted se lo puede comer, sólo bromeo).

VEA EL LADO POSITIVO

Es muy poco lo que podemos lograr deseando que el pasado hubiera sido diferente, es mejor estar con el aquí y el ahora y hacer lo mejor de ello. Mi padre no era muy poeta, pero fue un gran admirador de Omar Khayyam y nos estimulaba para aprender partes del *Rubaiyat*, las partes que él pensaba eran de valor. Mi favorito y uno de los pasajes más famosos dice así:

> *El dedo que escribe y escribió, continúa moviéndose,*
> *ni toda tu piedad ni agudeza*
> *te harán devolver para cancelar media línea,*
> *ni todas tus lágrimas limpiarán una palabra de ella.*

Trato de impartir a mis niños lo que podemos aprender de lo que se ha ido, pero no vale la pena detenerse en anteriores fracasos, en cambio es mucho mejor ver las cosas con la perspectiva de hoy. Soy un gran creyente del efecto que la cultura tiene sobre nosotros. A gran escala nos afecta; en un sentido nacional los británicos se ven diferentes de los estadounidenses o de los japoneses, pero también creo que usted puede crear una microcultura con aquellos que lo rodean. Especialmente cuando una persona es un representante de la melancolía y el escepticismo es muy difícil para cualquiera ser feliz, pero si cada uno tratara de hacer el esfuerzo de ver las cosas buenas en el camino, estaríamos más cerca de crear una atmósfera de optimismo.

Dudo que yo sea el único que haya experimentado desesperación, incluso lágrimas cuando mi juguete favorito ha sido estropeado. Primero, solía decirles a los niños que estaba bien y que repararía el daño, pero de la experiencia aprendí que no siempre esto es posible. Ahora simplemente les digo: "¡Todo tiene arreglo... excepto las cosas que no lo tienen!", es una manera abreviada de decir que por lo general existe una solución, pero incluso si no la hay, debemos sacar el mejor provecho de ello.

SEA ÍNTEGRO

Esto suena como un mensaje de un adulto que intenta impartir a un niño, pero no son las palabras que utiliza, sino los comportamientos que muestra los que les afectará desde una edad temprana. Nunca he conocido a nadie que no haya sufrido de alguna clase de inseguridad, algunas personas sólo la enmascaran mejor que otras, pero con frecuencia es difícil cuando existe una presión que no se ajusta a lo que está sucediendo a su alrededor. Sin embargo, desde el punto de vista científico, es extraño que cada uno de nosotros sea único y que sintamos la necesidad de actuar igual que todos los demás. Hay momentos en que esto es bueno, sobre todo cuando no quiere destacarse en una multitud, pero también existe mucho más que decir al ser usted mismo.

Con frecuencia, cuando alteramos nuestros comportamientos sobre bases a largo plazo, de ser algo que alguien más quiere que seamos, terminamos sintiéndonos desdichados porque perdemos la visión de quiénes somos en realidad. Ahora todo es por compromiso (y consideración, ver arriba) pero al mismo tiempo insisto sobre la necesidad de que mis hijos se expresen como individuos, después de todo y en gran parte, esto es la construcción de su autoestima. La frase "lo que usted ve es lo que consigue" no le favorece a todos porque si constantemente evade y trata de vivir por los valores de alguien más, al final usted será el perdedor.

Sería el primero en admitir que no soy ningún santo en todo lo que hago, pero si tiene un sistema de valores que valga la pena y vive por ello, se sentirá bien con usted mismo. Para nosotros como padres solteros esto es una lección importante de autoestima, pero es igual de significativo si podemos impartir los mismos sentimientos a nuestros hijos. Ocasionalmente efectúo intercambios de correos con un amigo basados en la canción "Orgulloso" de Heather Small. Si cualquiera de nosotros ha tenido un buen día y ha vivido por sus valores, nos enviamos un correo utilizando la frase del coro de la canción "¿Qué ha hecho hoy que lo haga sentirse orgulloso?" y explicamos alguna acción desinteresada que enriqueció la vida de alguien más. Si no puede pensar en nada, una buena manera es resolverse a hacer algo diferente mañana.

¿Qué podemos concluir? Muchas cosas han cambiado, pero si inculca un fuerte sentido de valores en sus hijos, ellos pueden seguir viviendo felices, recompensados, llenos de vida y al mismo tiempo ser buenos ciudadanos. Es inútil envidiar lo que tienen y hay dos maneras de verlo: cuando siento que la tecnología los induce a estar en sus cuartos para jugar con las computadoras y que los priva de las relaciones sociales tan necesarias para sobrevivir, reconozco que la misma clasificación del gran avance tecnológico significará que me puedan enviar fotografías de su fin de semana por correo electrónico cuando tengan 19 años de edad y estén al otro lado del mundo y yo esté enfermo de preocupación por ellos. De la misma manera, y hablando en términos monetarios, el incremento de su riqueza no necesita ser una mala cosa si saben gastarla de manera inteligente. No los animaré para que le pongan un poco de sal a la vida, ni tampoco espero que se prevengan de las cosas que esto inevitablemente traería, pero sí espero que logren ahorrar un poco para que con suerte puedan escoger una hermosa, cómoda y costosa casa de retiro para mí.

Los cambios en los valores también tuvieron otro efecto en mí, me hicieron caer en la cuenta de que, después de todo, mi propia mortalidad no es algo tan malo. Si por algún milagro pudiera duplicar mi expectativa de vida y continuar vivo durante una generación más, estoy seguro de que pasaría de ser un simple hombre viejo malhumorado a uno de absoluta apoplejía pensando en la juventud del futuro y su falta de respeto para con sus mayores. Quién sabe, de hecho este impacto podría matarme.

El último punto de este apartado trata sobre qué tan rápido parecen crecer los niños en estos días, lo cual como padres es algo que lamentamos. Yo no pienso que cualquiera de nosotros tenga inconveniente en que ellos tengan más dinero o una tecnología mejor y más rápida (la mayoría de niños parecen comenzar a enviar mensajes tan pronto aprenden a caminar) pero parece injusta la pérdida de su inocencia a tan tierna edad.

Además de ser más sabios y astutos (lo cual pienso son cosas buenas generalmente) su tiempo de infancia se ha acortado y el alarmante efecto colateral es la "sexualización" de los niños, en especial de las niñas, antes de estar listos para enfrentarse con lo que esto significa.

Hago todo por educar a mis hijos en el contexto de su edad y no en la mía. Reconozco que serán más sabios más pronto, pero también creo que es parte de mi responsabilidad al cuidarlos, permitirles ser niños mientras puedan y estimularlos por igual.

II. PRÁCTICA

El trabajo
de un hombre nunca termina

Si piensa en cómo su abuela manejaba la casa, no hay ninguna excusa para que nosotros no seamos capaces de afrontarlo. Sin contar con las ventajas de la tecnología, ella lograba manejar todas las cosas como un reloj. ¿Por qué? Porque ella tenía un *sistema*. Usted también necesita uno.

No importa si usted se precia de ser impecable o está satisfecho siendo negligente con el aseo, cualquiera que sea su preferencia, los niños no pueden andar desarreglados, malolientes, hambrientos o agotados sin que otros se den cuenta. Recuerde que lo último que ellos quieren es llamar la atención, excepto cuando ellos deciden hacerlo.

Los niños son enormemente tolerantes con toda clase de situaciones pero sus necesidades básicas deben ser satisfechas. He descubierto que cuanto mejor lo hago más cerca me siento de ellos. También pienso que ellos se sienten más relajados y seguros; después de todo, ¿qué podría ser peor que ver a su papá luchando con los principios fundamentales de su cuidado? No sólo es importante para su autoestima poder arreglárselas, una parte esencial es permitir que los niños sepan que por el simple hecho de ser un padre soltero el mundo no se está destruyendo. No cuido de mis niños porque me sienta culpable, lo hago porque quiero hacerlo.

Quizá porque ellos no están conmigo todo el tiempo siento que lo menos que puedo hacer es cuidar de ellos apropiadamente cuando están conmigo.

Existe una gran diferencia entre *alimentarlos y malcriarlos*, un gran abismo entre su independencia y su descuido. Los grandes padres hacen lo mejor para enseñar a sus hijos a hacer las cosas por sí mismos, pero *hasta* que ellos aprendan, tenemos que estar preparados para hacerlo por ellos.

Sin embargo tenemos suerte porque muchos de nosotros ya hemos vivido antes, en algún momento, por nuestra cuenta y tuvimos que afrontar las tareas domésticas. Cuidar de los niños es una extensión de esto, por favor lea los consejos prácticos con respecto a salud, higiene, hora del baño, hora de ir a la cama y relaciones.

Rechinante de limpieza

Usted no tiene que seguir el régimen utilizado por la madre, pero necesita crear uno propio y ceñirse a él. Como con todos los asuntos domésticos, la rutina es una gran cosa, porque así los niños sabrán esperar lo que viene y no volverá a ser una causa de discusión o debate.

Llevarlos a la ducha es una verdadera ganancia en muchos frentes. Esto tiende a tener un efecto relajante y una vez ellos están afuera y secos, ¡están listos!, y por la noche el reto es la pijama y están a un paso de la hora de acostarse. Los niños pequeños necesitan su completa atención y una buena limpieza con una esponja, pero a medida que crecen lo harán por su cuenta. Durante algún tiempo deberá supervisarlos ya que los niños tienden a mojarse sin ningún sentido y a dejar de hacer lo importante.

Nuestro ritual a la hora del baño, por lo general implica sentarme en el inodoro y tener una conversación acerca de cómo fue el día anterior, el estado del universo o el significado de marcas globales en una economía cada vez más competitiva. No, honestamente nunca dejo de asombrarme de lo que hacen o dicen cuando tengo toda su atención. También es el momento en el que empieza el día y es relajante preguntar y pensar en todo lo bueno que puede llegar. Estoy seguro de que esto también me ayuda a tener más sentido.

El baño es un buen lugar para que ellos se descarguen porque pronto se dan cuenta de que por un momento usted realmente los está escuchando (en vez de exclamar con un oportuno "Ajá"), es posible que ellos le cuenten sobre la última pelea con uno de sus compañeros o cómo el novio de su mamá a veces dice groserías.

Intente sacar el mejor provecho de este ritual porque pronto pasará y será reemplazado por los años de adolescencia, donde no sólo extrañará verlos salpicar en la bañera, sino que también extrañará ver en el interior de su cuarto de baño por horas, o incluso días, sin parar.

Estoy bastante interesado en el tema de cómo nuestra tarea como padres es ayudar a nuestros hijos para que cada día se alejen un poco más de nosotros, para añadir algo más de independencia mientras el tiempo pasa. Esto aplica tanto para la higiene personal como para todo lo demás. Los bebés recién nacidos huelen delicioso, su aroma evoca el alma pura de la misma madre naturaleza, pero desde allí todo va cuesta abajo. En el momento que lleguen a la adolescencia, olerán horrible si no les presta la suficiente atención. Cuando llegue el momento, ayúdelos en la transición. Dedíqueles tiempo en el supermercado explicándoles para qué sirve cada cosa, luego permítales escoger los productos más publicitados.

LAVANDERÍA

Hacer que los niños huelan rico es una cosa, pero esto no para allí. También necesita asegurarse de que tengan ropa limpia, lo cual significa confiar en que les mandaron ropa suficiente para su estadía o hacer uso oportuno y juicioso de la lavadora.

Afortunadamente, hace mucho tiempo, cometí todas las metidas de pata con la lavada de mi ropa volviendo rosada toda mi ropa interior con la ayuda de esa camiseta rojo intenso que compré o encogiendo las prendas a tales proporciones que podrían quedarle bien a una muñeca, por lo cual a la fecha he logrado evitar hacer lo mismo con la ropa de mis hijos. Siempre me he preguntado por qué la lavadora automática promedio tiene tantos ciclos; yo sólo he utilizado dos. Quizá algún día saque el libro de instrucciones nuevamente y descubra para qué sirven los otros.

Mis únicas reglas (y el secreto de mi éxito) es separar la ropa clara de la oscura y permitir que los milagros científicos contenidos en el detergente realicen su trabajo en lugar de confiar en el agua muy caliente. Si la ropa no sale lo suficientemente limpia, la vuelvo a lavar y subo un poco la temperatura. He encontrado también que no es buena idea sobrecargar la lavadora puesto que la ropa no sale limpia.

Cada vez más, en nuestra casa llegamos a utilizar las prendas favoritas y con esto quiero decir que a la hora de ir a la cama estas necesitan ser guardadas con el fin de poderlas utilizar de nuevo mañana y el día siguiente y el próximo…

En estas circunstancias, poner a lavar la ropa apenas se la quiten y colgarla para que se seque o ponerla sobre un radiador es de gran ayuda. De esa manera deberá estar lista por la mañana, oliendo fresco y limpio.

Algunas otras cosas: mis anteriores desastres me han permitido aprender que los materiales realmente delicados se lavan mejor a mano con jabón de manos (que hacen que estas se sientan suaves) y cosas como que las manchas de pasto sólo pueden ser removidas dejándolos en remojo en un balde con un producto adecuado.

Si va de vacaciones, puede llevar un práctico "tubo de jabón líquido para viaje", aunque puede parecer demasiado organizado y estar al borde de un "caos", este puede salvar su vida, en especial si tiene niños pequeños quienes quizá lleguen a cambiarse media docena de veces en un día.

Lavar es fácil y el secado es un soplo. En verano cuelgue en cuerdas y en invierno utilice, si tiene, la secadora; de lo contrario, adorne sus radiadores pero no deje secar completamente la ropa para planchar o será una pesadilla. Recuerde retirar toda la ropa interior antes de invitar a alguien a un café (quiero decir, la ropa interior en los radiadores, no la que lleva puesta).

Gran consejo: si está colgando afuera la colección de medias más grande del mundo, cuélguelas una encima de otra. Cuando estén secas y las esté recogiendo, escójalas en pares para que no tenga que hacerlo más tarde. Incluso los niños pequeños pueden ayudar aquí, pídales que enrollen las medias antes de guardarlas. Es una tarea sencilla y se librará de ello si les dice que es bueno para el alma.

UN MARAVILLOSO MOMENTO
DE DIVERSIÓN EN FAMILIA

Aquí presento un juego muy divertido, no cuesta nada y casi no presenta riesgo de lesión o daño; es "La guerra de las medias". Obviamente el nombre es una parodia de *La guerra de las galaxias* pero allí es donde la similitud termina, a menos que quiera ser realmente tonto y vestirse como Darth Vader.

"La guerra de las medias" consiste en tirarse medias enrolladas en pares unos a otros. Es mejor si cada uno puede tener un territorio (cualquier extremo del cuarto) de pronto con un sofá o algo para esconderse detrás, antes de que usted aparezca completamente cargado y descargue todo ese infierno de medias sobre los otros. Una regla de la "altura debajo de la cabeza" es conveniente si quiere evitar que los adornos se rompan, y ya que este es un momento que con frecuencia sigue al ciclo del lavado, antes de que la etapa de "recogida" suceda, el juego mejora si lleva puestos un par de calzoncillos sobre la cabeza como protección (de hecho, estos no proporcionan ninguna protección pero hacen el juego más divertido). Si tiene más de un niño, debe equilibrar los frentes y cerciorarse de que ataca a cada uno con la misma fuerza o sentirán que hay preferencias. También puede esperar que ellos casi no tengan inconveniente en formar una alianza inmediata para unir sus fuerzas contra usted. Tómelo de buena manera, a fin de cuentas sólo son medias.

Planchar es una habilidad más bien difícil pero hoy día la mayoría de hombres lo puede hacer por lo que no voy a ser condescendiente. Si encuentra que es algo aburrido, entonces puedo ofrecerle algún consejo para alegrarle la vida. A diferencia del presidente estadounidense que según dicen no podía caminar y masticar chicle al mismo tiempo, yo pienso que para nosotros los padres solteros *tres* tareas al mismo tiempo son totalmente factibles.

Puedo planchar, ver televisión y beber una cerveza al mismo tiempo. Si me atrevo a recomendarle esto, podría encontrarme en aprietos con el ejecutivo de salud y seguridad, sencillamente le digo que puedo hacerlo (no se confunda y no llene la plancha de vapor con cerveza, de lo contrario toda su ropa acabará oliendo como cervecería).

Es suficiente decir: sólo planche las cosas que realmente lo requieren. Si fuera atropellado me sentiría contento de llegar al hospital con interiores limpios sin planchar. Si tengo que priorizar el planchado, porque tengo muchas otras cosas más importantes para hacer con mi tiempo, entonces plancho primero lo de los niños. Esto se basa en la premisa de que poco me importa lo que piensen las personas acerca de cómo luzco, pero sí me mortificaría si me dan palo porque permito que ellos salgan a la calle viéndose como recién levantados (aunque esto significara que podría inscribirlos para el premio Turner).

ORDEN Y LIMPIEZA

Tengo la mano en el corazón y admito que puedo vivir entre un poco de desorden y como no tengo alergia al polvo por lo general estoy bastante feliz de convivir con la cantidad justa. Ocasionalmente me rebasa y tengo que limpiar el lugar, situándome (aunque de forma temporal) en la categoría poco común del melindroso hombre limpio heterosexual. Ser desordenado es una cosa pero ser sucio es harina de otro costal. En esta base, observemos las áreas de la casa que son realmente importantes.

COCINAS, BAÑOS Y BACTERIAS

No me importa qué tipo de vago sea usted, este segmento (parte de la limpieza y el orden) me parece muy importante porque si lo hace mal esto puede traer consecuencias espantosas para sus hijos.

Aun si el resto de la casa es un desastre yo quiero pensar que la cocina y el baño están limpios. Sin entrar en mucho detalle, ¡sea higiénico! Aunque a menudo viva como un soltero, absténgase de vivir en un "apartamento de soltero". Quizá quiera jugar con su salud cuando se trata de una higiene alimentaria, pero recuerde siempre que ahora con frecuencia sus niños se verán implicados. Entre en el hábito de hacer el tipo de cosas que sospecho siempre tratan en la revista *Buenas labores domésticas*, por ejemplo, manipule de forma separada la carne cruda de la carne cocida, ponga la carne cruda *debajo* de la cocida (en caso de que gotee).

Lave poco y con frecuencia en lugar de amontonar por una semana y sumergirse en una limpieza descomunal. Esto evita los sobrantes de alimentos que alojan sus propias bacterias durante toda la noche e invitan a cualquier estafilococo a pasar y a quedarse por un tiempo.

Odio lavar, por lo que tengo la regla que no puedo iniciar hasta que haya despejado el desagüe de la última lavada (lo cual normalmente hago mientras cargo agua para el próximo montón), así obtengo algo de espacio para trabajar.

Cuando llega el momento de secar los platos —quizá es una cosa de hombres— simplemente no veo el punto. De todos los quehaceres domésticos que se deben hacer, cuente ahora mismo el número de tareas que se harán por sí mismas. ¿Las camas se tienden solas? Pienso que no. ¿La aspiradora trabaja por sí misma? No. Y todavía, por milagro de la naturaleza, los platos se secan solos, ¿por qué mantener un perro y ladrarse a sí mismo? Si se sorprende haciendo el secado mientras ociosamente mira hacia afuera por la ventana de la cocina, realmente es tiempo de considerar si sale lo suficiente.

Los botes de basura son interesantes, sobre todo los de la cocina. Recuerde cuando estaba casado que una de sus principales tareas, diferente a la de retirar las tapas de los frascos, era "la de sacar los botes". Ahora esto lo mantendrá en su lugar. Sin embargo *sacar* la basura no es el tema sino la *frecuencia* con que lo hace. Su anterior pareja probablemente debió haber sido la responsable de instruirlo en esto pero ahora otra mujer servicial lo aconsejará: la Madre Naturaleza, la responsable de pudrir los pedacitos de alimento que causan mal olor y que le indican que es momento de cambiar la bolsa de la basura. Todo esto quizá parezca un poco obvio pero si vive solo, a veces puede tomar una semana para llenar un bote, que para entonces es probable que apeste demasiado.

Además de esparcir el olor, también es un riesgo para la salud en la cocina, cámbiela con frecuencia.

A riesgo de anticiparme, vamos al segundo piso. El baño es el segundo lugar de principal actuación de las bacterias y no quiero ir a sus fuentes; usted puede hallarlas por su cuenta. Sin embargo, puede minimizar el problema manteniendo el baño, el lavamanos y, sobre todo, el inodoro exageradamente limpios. Para este último, el blanqueador es muy bueno pero necesita lanzar un chorro y dejarlo actuar por un momento (después de que haya hecho lo suyo). Es mejor, si tiene niños pequeños, hacerlo mientras ellos están durmiendo para evitar el riesgo de que entren en contacto con el líquido.

Los limpiadores para la ducha y el inodoro ahora vienen en diferentes formas; la más fácil es la que viene en espuma. Sencillamente rocíe un poco, déjelo por un segundo y enjuague junto con la mugre acumulada. Como un extra adicional, si se le acaba la espuma de afeitar, siempre puede utilizar un poco de esta como alternativa (sólo bromeo). Todas estas cosas forman parte de la higiene personal y si no enseña a sus hijos por medio de su ejemplo, cómo podrán aprender su importancia.

HORA DE COMER

El tema de las comidas es realmente importante. No tengo una selección de recetas para que las siga, pero siento que en estos días ha llegado a ser una tarea y nosotros tenemos una responsabilidad paternal muy importante para hacerlo bien. Así como la televisión tiene un interruptor, para poder regular lo que ven (cuando se siente lo suficientemente valiente), así mismo sucede con el refrigerador, en un sentido metafórico. Hasta cierta edad los niños sólo consumen lo que hay en casa y si usted hace la compra de los comestibles puede controlar lo que consumen.

Irónicamente, el poder de la televisión no sólo ha persuadido a una generación de comer más comida chatarra sino que también ha aumentado la conciencia del consecuente incremento de obesidad en los niños. Consumir menos anuncios de Turkley Twizzler y más documentales de Jamie Oliver es una dieta mucho más sana para nuestros hijos.

No soy un dietista ni un fanático de los alimentos naturales, pienso que hay momentos en que sólo una hamburguesa con queso y tocineta con papas fritas pueden ser lo mejor. Sin embargo, admito que hay demasiada grasa saturada y azúcar en nuestra dieta y el resultado está a nuestro alrededor con las tasas alarmantes de obesidad que amenazan la salud de nuestros hijos y los hábitos alimentarios de las generaciones futuras. Yo no quiero ser muy aburrido ni demasiado bonachón, pero todo se refiere al equilibrio.

Tenga mucha fruta y verdura fresca para ellos (es tan conveniente como los denominados alimentos recomendados), deles gusto con el chocolate, pero haga que sea especial, no como parte de la rutina diaria, e intente establecer horarios de comidas en lugar de sucumbir a una cultura de estar comiendo todo el día.

Una vez una compañía aérea me invitó a una presentación con el fin de demostrar sus ventajas en un vuelo de largo trayecto. Pues sí, los nuevos asientos, el espacio adicional para las piernas y las pantallas personales para películas eran impresionantes, pero estaban igualmente orgullosos de su nuevo régimen alimentario, el cual llamaron "bocado de ataque". Parecía que si las comidas normales servidas a intervalos de 15 minutos durante un vuelo de 10 horas no fueran suficientes, podía presionar un botón y solicitar a alguien de la tripulación que le trajera una porción adicional de una masa frita en manteca, recubierta de azúcar, para distraerlo. Si hay muchos "bocados de ataque" en su casa, entonces es hora de tomar alguna acción positiva.

Cuando llega el momento de cenar, hay muchas bobadas para hablar. Aunque mi madre se avergüence de mí porque ni siquiera tengo un mantel, esto no nos detiene para comer juntos. La mayor parte del tiempo nos sentamos frente a la mesa auxiliar de la cocina, todos en fila como en una comida estadounidense, pero por lo menos compartimos la comida en familia (la cena es una clase de evento, y los niños todavía tienen que pedir permiso antes de retirarse). Sé que es una rara combinación de valores pasados de moda e informalidad moderna pero funciona para nosotros.

Les recomiendo de corazón que de vez en cuando realicen una cena apropiada en familia. En invierno lo hacemos para el almuerzo del domingo y se ha convertido en un ritual, con ambos niños peleando para ayudar a prepararlo. Esto a veces provoca pequeñas competencias para ver cuántas capas pueden pelar sin que se desintegren las cosas completamente. Ellos en verdad parecen gozar toda la experiencia y, junto con las revelaciones al momento del baño (ver atrás), se asombrará de lo que puede aprender cuando sostiene una conversación que no compite con los usuales entretenimientos basados en la pantalla.

He decidido agregarle algo a esta sección de cómo cocinar, no a los ingredientes ni al método —Delia es mucho mejor en todo esto que yo—, pero sí una regla básica para preparar alimentos de manera segura. Dado por hecho que se ha preparado para tener una cocina y un régimen de higiene de alimentos, todo esto no será sino un castillo de naipes si no cocina los alimentos por completo. Aunque los vegetales y otros alimentos son bastante seguros, como Morrissey dijo una vez: "La carne es asesina". De nuevo, en la mayoría de circunstancias, si sigue los tiempos de cocción y temperaturas recomendados, estará bien, pero asar a la parrilla y freír puede producir mucho calor, ser más complicado y puede correr el riesgo de cocinar las cosas por fuera pero dejarlas crudas y peligrosas por dentro. Pienso que la frase "verifique siempre que los alimentos estén bien calientes", debe agregarse a lo anterior.

El momento en que afronta más peligro es en verano, en parte porque en los climas cálidos los alimentos se deterioran más rápido, especialmente si no los ha mantenido refrigerados, pero en su mayor parte debido a la predilección de los hombres modernos por los asados. Esta práctica se hace aún más peligrosa por el hecho de que aunque no es lo más indicado, sí es casi obligatorio tener una cerveza en la mano mientras lo hace. Una investigación llevada a cabo en el Instituto de Theo para Estudios Inventados demuestra que el riesgo de envenenamiento por alimentos es directamente proporcional al número de cervezas consumidas.

Además, el riesgo para sus niños se aumenta al doble porque encenderá el asador una hora después de tener que haberlo hecho, olvidándose de que toma mucho tiempo prenderlo bien. Esto con seguridad hará que su hijo esté cerca de la inanición al momento de servir. Esto quiere decir que (a) acelerará el proceso y les dará un alimento que no está cocinado apropiadamente, y (b) que ellos consumirán una cantidad mayor del promedio de bacterias presentes en el alimento en el intento de satisfacer su hambre.

Es mucho más probable que los padres motiven esto en sus niños por la sencilla razón de que encender un asador es cosa de hombres. Los tiempos de las cavernas donde se cazaban fieras con un pedazo de una ramita adornada con una punta de pedernal se quedaron atrás, ahora sólo podemos volver a nuestros instintos naturales al "prender fuego". Es como si todo lo que respecta a nuestra sexualidad recayera sobre nuestra habilidad para hacer desaparecer media docena de hamburguesas de carne. En ese sentido, siempre he sido un fracaso, puesto que nunca he podido conseguir que la maldita cosa permanezca prendida (un compañero me recomendó su método personal que se basaba en un galón de Cuatro Estrellas y un fósforo).

Sin embargo, las habilidades de la parrilla pueden ser hereditarias y muy a mi pesar mi hermano heredó todos los genes familiares. Él podría ser descrito mejor como un "parrillero en serie" y todos los años alimenta su obsesión saliendo a comprar uno nuevo. Empezó con una parrilla convencional de carbón, siguió con una de gas y ahora creo que posee una que se abastece de combustible con tecnología nuclear.

No obstante, debo señalar que esto era algo de lo cual mi padre no estaba especialmente orgulloso, él solía decirme que mi hermano los había invitado el domingo para comer más de la "comida quemada".

Pero estoy divagando. Si no quiere enfermarse por cocinar alimentos al aire libre, lo mejor que puede hacer es cocinar primero todo en el horno, lo pasa rápidamente sobre la parrilla con carbón caliente y lo sirve de inmediato, aderezado con dos Imodium.

Subir la escalera de madera

Eso es lo que mi mamá solía decirme cuando llegaba la hora de ir a la cama. Anhelaba vivir en un faro para poder decir que como el camino era de piedras, no necesitaba ir. Probablemente mi mamá habría utilizado otra de sus expresiones, una que no se puede decir aquí.

La hora de ir a la cama es tanto para usted como para ellos. Lo que quiero decir es que hay beneficios para todos, aunque para los niños sea más difícil ver cuáles son. Ellos sienten que son desterrados a la habitación, justo cuando van a pasar buenas cosas por televisión. La hora de ir a la cama puede ser divertida si les lee o les canta.

Yo pienso que no existe ninguna regla que indique el momento en que los niños deben ir a la cama. Es mucho más sencillo si sus niños están en edades cercanas porque entonces sólo habrá una hora de ir a la cama para todos y no tiene que sufrir la agonía de negociar con cada uno cuando llegue la hora (minuto o segundo) designada. Aquí presento algunas cosas que pueden ayudarle a decidir el momento adecuado:

- ¿Ha tenido suficiente de ellos? Aunque los adore, usted tiene derecho a dedicar algo de tiempo para sí mismo.
- ¿Se ven agotados pero se rehúsan a admitirlo?
- ¿Están en período escolar? Por lo general cuando están en el colegio necesitan más horas de sueño.
- ¿Les debe un trato, que les permite permanecer levantados hasta tarde "sólo esta noche"?
- ¿Les es difícil concentrarse en un asunto (tareas, peticiones de su parte, etc.)?
- ¿Son terribles durante el día por haber tenido pocas horas de sueño durante la noche?

El último punto es importante; usted puede permitir que sus hijos se acuesten tarde por una infinidad de razones, pero si ellos son naturalmente madrugadores, probablemente pagará el precio al día siguiente con un aumento de irritabilidad alrededor. Conozco a un hombre que solía mantener despiertos a los niños hasta tarde la noche anterior a su regreso donde su madre para que ella sufriera todas las secuelas. ¡Qué vergonzoso!

Empecé este apartado estableciendo la importancia de tener un sistema, una rutina si así lo desea, y espero que algunos de estos consejos le ayuden a entrar en la onda. Créame, esto le ayuda a conservar su cordura y a reducir su estrés con el valor agregado de que es usted el que "administra la expectativa" de sus hijos. Pienso que este es uno de los secretos de ser un gran padre soltero. Si les promete la luna y las estrellas y luego aparece una noche nublada con una llovizna ligera, ellos se desilusionarán.

Todavía recuerdo que cuando tenía cuatro años quería desesperadamente un mono como mascota. Sé que era absurdo, pero en ese momento parecía una buena idea. Atormenté a mamá y papá incesantemente hasta que sucumbieron a la promesa a la que todos sucumben con el tiempo: "Bueno, quizá algún día...". Apuesto a que si le preguntara a cualquiera de ellos, ya en mi edad adulta, tendrían dificultad de recordarlo, pero los niños tienen memoria de elefante (quizá un elefante habría sido una mascota más práctica) para estas cosas y sí, yo aún espero, todavía sin mono, todavía optimista.

Aprendí mi lección de la manera difícil.

No prometa lo que no puede dar.

Los aspectos prácticos de cuidar la casa no tienen que ser una tarea (ni una serie de tareas) mientras se mantenga en la jugada. El beneficio más grande es que cuanto más organizado sea tendrá mayor tiempo para dedicarle a los niños, haciendo las cosas que importan, las cosas divertidas que nos mantienen más cerca de nuestra meta de la grandeza.

No tengo nada que ponerme

La ropa es algo muy importante para los niños y a medida que pasan los años, se interesan más en lo que se ponen. No deberíamos subestimar el significado social de cómo nos vestimos y eso es porque todos somos culpables del mismo crimen de juzgar un libro por su cubierta. La ropa que escoge ponerse habla mucho de usted a otras personas y es uno de los primeros indicadores de la personalidad para aquellos que conoce, aun sin haber abierto la boca o tener la oportunidad de expresare por medio del lenguaje corporal. Los niños también son rápidos para aprender esta artimaña y no pasará mucho tiempo antes de que ellos hagan juicios acerca de otros basados en su vestimenta.

También es el caso que, como sociedad, utilizamos la ropa para indicar el estatus de un evento o el nivel de formalidad cuando se reúne con sus coetáneos. Los tipos que se reúnen en un bar, rara vez se esfuerzan en arreglarse, mientras que para las "damas que van a almorzar", la vestimenta que escogen puede o no hacer la ocasión. Hacer la diferenciación entre la idiosincrasia y conformarse con protocolos admitidos puede ser difícil. Usted es valiente si asiste a una entrevista en jean y camiseta, pero si se está postulando para un trabajo como artista gráfico, tal vez sea lo más apropiado.

A causa de las sutilezas y matices de este "juego", es nuestro deber cerciorarnos de que nuestros hijos no sean señalados, sólo porque decidamos escoger no encajar con la norma. No estoy diciendo que deberíamos seguir un mínimo del común denominador de un código de vestir, sólo es algo que se debe pensar antes de exponer a sus hijos a un mundo cruel.

Aparte del tema del estilo existen muchas otras consideraciones prácticas para tratar y en un nivel básico necesita asegurarse de que sus niños se visten de forma apropiada con respecto al clima. El debate de la ropa para los niños entre 10 y 12 años se saldrá de sus manos. Cuando ellos empiezan a decidir por su cuenta lo que está de moda y lo que está fuera de moda, es más probable que su aporte esté representado por el dinero en efectivo que saca de su billetera.

Sé que hay parejas separadas que tienen una "propuesta combinada" con respecto al tema de la ropa. Eso quiere decir que ambos guardan atuendos apropiados bajo la premisa que los artículos individuales vienen y van de una casa a otra de forma regular y al azar. Tener dos guardarropas completos va más allá de las posibilidades de la mayoría de personas, tiene que hacer alguna negociación y cooperación sobre qué lleva a dónde y cuándo.

El nivel de dificultad al manejarlo depende de las prendas de vestir que están bajo discusión. No debe tener mucho inconveniente con las medias y la ropa interior, puesto que son prendas con un costo relativamente bajo y puede tener un cajón lleno de cada una. Hemos tenido que sufrir la crisis de la ropa interior cuando todo parece que está en casa de mamá, pero mantener una reserva puede prevenirlo. También vale la pena verificar las etiquetas de vez en cuando. Una vez encontré calzoncillos para niños de 5 a 6 años en el cajón de mi hijo y como ahora él tiene 12, pensé que estos podrían quedarle algo justos (aunque esto le ayudaría a que no le salieran gallos en su voz).

Aunque algunas cosas cuesten más, puede comprar camisetas baratas y jeans o mallas cuando todo lo demás está lavándose, una especie de equipo de emergencia, si así lo prefiere. La calidad puede no ser muy buena pero debido a que los niños crecen tan rápido es improbable que las acaben. Todo esto evita la innecesaria crisis de no tener nada que ponerse.

Una vez tenga estos elementos básicos, podrá alcanzar la etapa en la que sus mejores ropas crecen con ellos y si sólo tiene a los niños durante los fines de semana en ningún momento necesita muchas cantidades. Esto cambia un poco cuando llega la época de vacaciones y los niños van a estar con usted durante dos semanas. Cuando los recojo reúno en una bolsa las cosas que necesitan e intento ser lo suficientemente considerado para regresar la mayoría de esas cosas si no planchadas por lo menos limpias, un día o dos después de su regreso.

Más adelante le contaré una historia acerca de la ropa inadecuada, pero antes déjeme hacer una advertencia acerca de la ropa interior en específico. Cuando éramos niños, fuimos a quedarnos en casa de unos amigos de la familia en el norte de Gales. Fue tan agradable la estadía que decidimos prolongarla por un día o dos, lo cual para mamá (quien planeaba todo meticulosamente) resultó un problema porque no tenía los suficientes interiores limpios para mí. Yo tenía apenas tres años en ese momento y como nuestros amigos tenían una niña de una edad similar lo más fácil fue que yo utilizara unos de sus pequeños calzones limpios. Ambas madres hicieron todo por convencerme de que estos eran iguales a los míos (en términos de su apariencia era difícil discutir) e incluso a esa temprana edad yo me sentía muy incómodo y totalmente apenado con todo el suceso. Me moriría si ahora sucediera lo mismo, lo que quiero decir es qué sentido tiene que un niño utilice una tanga especialmente por ese hilito que va atrás; sólo puedo imaginar que cuando el niño se mueve se siente como una seda dental limpiando su trasero... La moraleja de la historia es que si los niños realmente no quieren vestirse con lo que les ha escogido, no debe forzarlos.

ARTÍCULOS DE EMERGENCIA

Hay algunas cosas que son esenciales para tener como reserva en un ropero, sólo porque su uso esporádico garantiza que estarán en la casa equivocada en el momento equivocado. Esto incluye el vestido de baño, algo que no sea muy costoso y se ajuste bien de manera que pueda utilizarlo varios años después de haberlo comprado.

También es bueno tener botas de caucho rondando por ahí, es un artículo de uso poco frecuente en cualquier casa, normalmente ellos crecen antes de usarlas, lo que quiere decir que puede pedirlas prestadas a un amigo o pariente cuyos hijos sean mayores o encontrar algo que sirva y sea más barato. Sombreros, guantes y algo a prueba de agua también encaja en esta categoría y aquí no estamos hablando de vestirlos mejor los domingos, si lo que desea es que estén rondando en el jardín o si cae un poco de nieve inesperada que pueda aprovechar al máximo.

COMPRAR ROPA: ALGUNOS CONSEJOS BÁSICOS

La mayoría de hombres que yo conozco detestan ir a comprar su propia ropa, y la experiencia de hacerlo para sus hijos en realidad no lo llenará de alegría. Sin embargo, puede hacerlo menos doloroso si sigue algunas normas fáciles. Como ya lo mencioné, hasta cierta edad usted puede tener el control sobre lo que deben vestir, pero se va volviendo más difícil cuando los niños empiezan a estar más pendientes de la moda. Cuando llegue ese momento, vendrá una fase donde podrá expresar su opinión pero esto no durará mucho tiempo puesto que muy pronto elegirán su propia ropa. Aquí no quiero comenzar a estereotipar la sexualidad, pero en mi experiencia los temas relacionados con el vestuario son más importantes para las jóvenes; a los jóvenes parece importarles menos cómo se visten. En fin, lo que aquí vale la pena es mi consejo...

VOLAR SOLO

Si las compras de ropa son una tarea aburrida, se hace peor cuando tiene que arrastrar a pequeños maniquíes renuentes para preguntarles si prefieren el color rosa o el gris. Prefiero escoger montones de ropa y realizar sesiones de prueba en casa, lo cual parece funcionar mucho mejor, especialmente si no interrumpe un episodio de Bob Esponja. Usted solo es mucho más ágil y si tiene un poco de sentido común, hará todas las compras en una sola tienda, por lo tanto, reducirá las molestias.

HACER COMPRAS LOCALES

Existe una buena razón para esto. Si encuentro una selección de ropa pero no puedo decidir qué comprar, me quedo con todo y lo cargo a mi tarjeta de crédito y luego dejo que los niños escojan. Esto es sólo una estrategia práctica si puede devolver a la tienda la ropa que no desea, de manera que la tienda pueda efectuar el reembolso directamente en su tarjeta en lugar de devolvérselo en dinero real. El único riesgo de esto es que los niños quizá quieran todo lo que ha comprado, pero si ese es el caso, entonces qué importa.

ESCOJA ALMACENES DE CADENA

Las tiendas grandes son buenas cuando se trata de devolver artículos pues rara vez discuten al respecto, pero no descarte a un buen comerciante local independiente, sólo verifique si estaría dispuesto a reintegrarle su dinero si los artículos que ha escogido no le sirven. Personalmente no me gusta hacer devoluciones pues me parece un insulto, pero es preferible a tener todo un guardarropa lleno de artículos que no utilizan. Una tienda de cadena local que uso para mi propia ropa tiene la política de preguntar la razón de la devolución. Por lo general si informa que es una "talla equivocada" no tienen ningún problema en expedir la nota crédito, pero la última vez que devolví algo no pude resistirme a decir una razón como: "Francamente luzco un poco imbécil con esto" (sólo para ver si lo escribían en su formato).

MEDIDAS

La mayoría de productores masivos de ropa son bastante exactos en las tallas de la ropa según la edad del niño, pero los niños crecen a ritmos diferentes, por lo que esto no siempre es una medida muy confiable. Me irrito bastante cuando sólo establecen las tallas en pies y pulgadas, no podría adivinar la altura de mis hijos en centímetros, mucho menos en una medida extranjera. Aun así, todo esto se puede evitar si echa un vistazo a una etiqueta de algo que ellos utilicen actualmente y que de alguna manera parece que les queda bien.

PENDIENTE DE LA MODA

Tiendo a rechazar todo lo que sea demasiado extravagante, sabiendo que hasta que lleguen a la edad de autoexpresión (y por consiguiente sólo se visten de negro) los niños no querrán sobresalir siendo estrambóticos (esto lo sé por experiencia como lo describo más adelante en la historia de los impermeables).

SENTIDO PRÁCTICO

Rechazo todo lo que sea complicado de poner, esto le tomará más tiempo para vestir a los niños por la mañana y sus oportunidades de dominar algún botón, cremallera, velcro a una edad temprana es muy reducida en comparación con una sudadera que se desliza sobre sus cabezas. Al mismo tiempo piense en las implicaciones de lavado y planchado de lo que está comprando y lea las etiquetas antes para que esto no signifique más trabajo.

Ropa asexual

Si tiene más de un niño y son de sexos diferentes, sería bueno pensar cuidadosamente en los artículos que compra (como por ejemplo camisetas y pantalones de sudaderas) porque pueden ser utilizadas por cualquier sexo. Sigo pensando que es preferible que cada niño tenga un sentido de pertenencia de sus cosas, pero si ya no tienen ropa limpia podría ser útil tener una selección que encaje dentro de una categoría "n" para él y ella.

Evite marcas de diseñador

Es algo muy personal, pero realmente no quiero que mis hijos desfilen con anuncios publicitarios de alguna casa de modas francesa. Existen cantidades de buenas marcas que son prácticas y elegantes sin caer en la trampa de la alta costura. De todos modos sepa que la presión de los coetáneos muy pronto los encarrilará en la escena de los diseñadores y preferirán morirse antes que ser vistos por alguien en el supermercado.

Heredar

Hace una generación, si usted era el niño más pequeño en la familia, la mayor parte de su vida se la pasaba utilizando la ropa de sus hermanos mayores. Esto no era una sorpresa cuando la nación era menos opulenta y la mayoría de niños crecían antes de haber gastado su ropa. Aunque ahora es menos predominante, nunca soy arrogante si alguien me ofrece ropa para los niños y es perfecto siempre y cuando les quede bien y no se vean ridículos. Las tiendas de baratas, si está corto de presupuesto, son un buen lugar para hacer compras. Asimismo, cosas como las ferias de Navidad o las ventas locales, pueden ofrecer grandes gangas. No sea tan orgulloso y no las deje pasar.

ZAPATOS

He dejado una sección por separado para la compra de zapatos debido a las consecuencias que trae hacerlo mal. Las enormes y holgadas camisetas o unos jeans demasiado estrechos no harán mayores estragos a largo plazo, pero la talla equivocada de zapatos puede dañar los pies de los adolescentes.

Es más costoso, pero vale la pena la inversión, ir a una tienda de zapatos famosa y hacer que sus pies sean medidos de manera adecuada. Para mantenerlo todo en familia, fuimos al almacén en donde trabaja mi sobrino durante sus vacaciones de universidad y dejamos que hiciera su trabajo (también acudimos a su descuento como empleado, un buen trato). Para ser justos con el muchacho él ha sido bien entrenado y nos mostró las diferentes maneras de asegurarse de que los zapatos calzan bien (esto fue después de haber realizado medidas meticulosas del pie antes de seleccionar los zapatos del almacén). Presione aquí, deslice su dedo meñique allí, todo era muy profesional, pero cuando le pidió a mi pequeña niña que se parara sobre un solo pie y que silbara "Dixie", yo pensé que tal vez había ido demasiado lejos, aunque era un juego lógico, los zapatos calzaban como un sueño.

Mi única excepción para estas reglas de zapatos finos es para los de vacaciones, en donde un par de zapatos "en rebaja" es ideal siempre y cuando no vayan a ser utilizados todo el día, todos los días. "Los zapatos de goma", los de tela o las sandalias son grandiosos para pasear por la playa pero verifíquelos regularmente el primer día de uso y asegúrese de que los pequeños pies de sus hijos no estén lastimados. Gracias a la tasa de crecimiento de los niños sólo podrán utilizarlos durante una estación, pero si fueron económicos puede reciclarlos cuando lleguen a casa.

CUIDADO DE LA ROPA

He intentado enfatizar la importancia de la ropa de bajo mantenimiento simplemente porque prefiero estar jugando con ellos que planchando sus conjuntos. Pienso que es buena idea enseñarles desde una temprana edad que también tienen la responsabilidad de cuidar su propia ropa. Cuando se desvisten para tomar el baño, les pido que escojan lo que necesitan lavar y lo pongan en el canasto de la ropa sucia e intenten doblar y guardar la otra ropa. Realmente no importa si hacen un desastre, el principio es lo importante.

Si mis dos hijos lo olvidan, sólo tengo que mencionar la bolsa TK Maxx e instantáneamente entrarán en acción. Esto es porque en los primeros días cuando el divorcio no se había firmado, descubrí que no obtuve custodia de la canasta de la ropa sucia por lo que estuvimos forzados a utilizar la bolsa de la *boutique* local mencionada anteriormente. Ahora el hogar de los Theobald es más próspero y tenemos nuestra propia canasta de ropa sucia, auque siempre será conocida como la bolsa TK Maxx.

Es mejor no dejar cosas por ahí demasiado tiempo, puesto que comenzarán a amontonarse y a confabularse en su contra. Ahora ya debe saber cómo hacerlo con la lavadora: poco y seguido es mejor que lavar grandes cantidades en una sola carga.

Cuide bien la ropa, así les servirá a sus hijos hasta que ya no les quede y no se llenará de huecos. Si las prendas están en un estado razonable, las lavo, las plancho y luego las llevo a la tienda de caridad. Cuando eran utilizadas por mis propios hijos me importaban menos las arrugas, pero me mortifica pensar que envié algo sin planchar.

Aquí tiene mis mejores consejos, busque lo que es bueno para usted y siga su instinto. Pero antes de hacerlo, lea esta historia que puede influenciar sus elecciones. Creo que es verdad que hasta cierta edad usted puede hacer que sus hijos se pongan lo que sea, más si los entusiasma sobre cómo se ven durante la sesión de pruebas. Sin embargo, hay momentos en que puede pasarse de la raya, y justo un incidente como este sucedió en nuestra casa materna muchos años atrás.

En ese tiempo vivíamos en Escocia y yo tendría más o menos cinco años, mi hermano cerca de siete y mi hermana diez. Debido a las inclemencias del tiempo que prevalecían en esa parte del mundo (llovíznó durante los dos años que estuvimos allí), mi familia decidió invertir en una indumentaria apropiada y nos llevaron a comprar abrigos en una tienda, en el centro, que solo Dios sabe cómo era. Salimos con... esperen... un par de impermeables amarillos brillantes. Tristemente esta sólo es la mitad de la historia. Sí, nos dejamos llevar por nuestros sentidos cuando compramos sombreros puntiagudos del suroeste (sombreros impermeables) que hacían juego. Al recordarlo sólo puedo imaginar que mi papá era algún tipo de mago que nos había lanzado un hechizo para que pensáramos que nos veíamos bien con eso. Lastimosamente para él, la emoción no duró mucho, pues el lunes en la mañana cuando estuvimos listos para ir al colegio, de repente nos dijo que parecíamos como refugiados de la academia de pesca del Mar del Norte. Después siguieron lágrimas y pataletas, pero al final calmamos a mi papá y le dijimos que no íbamos a dar un paso fuera de la casa con ese atuendo tan ridículo. Si esta historia no influencia sus hábitos para comprar ropa, no sé qué lo haría.

DÍAS PESADOS
Y DE VACACIONES

¿Alguna vez ha sentido como si necesitara un descanso? Yo sé que sí y aunque es muy diferente cuando lleva a los niños, de hecho puede ser terapéutico si lo planea bien. Si trabaja tiempo completo, quizá sólo cuente con dos o tres semanas de vacaciones al año. Como es un tiempo muy corto, necesita aprovecharlo al máximo. Debería intentar tener tiempo para usted, pero guarde sus energías para gastarlas con ellos.

Sólo unos pocos días de un fin de semana largo pueden ser suficientes para recargar sus baterías y puesto que el tiempo parece pasar lento cuando usted es más joven, es bueno si puede planear algunos viajes más cortos en medio de los eventos principales. El cambio de escenario puede ser muy valioso bien sea para ir a pasar un día o dos con la familia o con los amigos.

Si parte de nuestra tarea como padres es crear recuerdos en nuestros hijos, las vacaciones son fantásticas para hacerlo de una manera condensada. Cuando pienso en mi propia infancia, no recuerdo mucho las cosas del día a día, pero puedo recordar a todos jugando rondas en alguna playa. Parecía como si no importara nada en el mundo y seguramente era así.

Todos nosotros reconocemos cómo la vida diaria se convierte en una cuestión de rutina: nos levantamos cada mañana y nos arreglamos para ir al trabajo, hacemos lo que tenemos que hacer y volvemos a casa de nuevo, pero es muy fácil ser un poco repetitivo con relación al tiempo de los niños. La mayoría de nosotros pasamos parte del fin de semana llevándolos de una actividad a otra (fútbol, clases de natación, ballet, lo que sea) y aunque es un descanso del colegio no les resulta muy fascinante. Durante todas estas carreras no tenemos mucho tiempo para interactuar con cada uno. Pase una semana o dos con sus hijos y se sorprenderá de lo mucho que puede llegar a conocerlos. Si lo hace bien será una ¡gran diversión!

Las vacaciones deberían ser un buen antídoto para aliviar el estrés, pero este no siempre es el caso; retrasos en los aeropuertos, parásitos intestinales y una gran cantidad de otros "pequeños accidentes" pueden hacerlo regresar a casa con la necesidad de un buen descanso. Sin embargo, la mayoría de estas situaciones pueden evitarse si planea sus vacaciones.

No pretendo decirle a dónde ir o qué hacer. Además, no considero que tenga un espíritu aventurero en particular, de manera que lo que puede ser apropiado para mí y los míos puede ser aburrido para usted y los suyos. Está en usted decidir, y el primer criterio que debe aplicar para elegir a dónde ir es preferencia suya y de sus hijos: ¿qué es lo que les gusta hacer juntos? Luego tenga en cuenta los factores físicos como cuántos niños está llevando y si hay otros adultos que le puedan ayudar. ¿Qué edades tienen sus hijos? Si son demasiado pequeños, podría decidir que un vuelo largo está fuera de consideración. Escoja un lugar que tenga algo para cada uno, en donde los niños puedan entretenerse y usted no se encuentre contando las horas para su regreso. No todos los factores estarán bajo su control y aquí el presupuesto es un factor crítico. Estará limitado por lo que pueda pagar. La mayoría de nosotros tenemos que hacer malabares con el dinero, pero me di cuenta de que los niños crecen rápido y si está esperando estar "bien económicamente" antes de lanzarse a ir al "gran espectáculo", habrá encontrado que sus hijos han crecido sin que usted lo haya notado. Pienso que no existe competencia si se pregunta si quiere cambiar de auto este año, construir un invernadero o tomar unas buenas vacaciones. Aquí está construyendo recuerdos y sus hijos difícilmente, siendo adultos, mirarán hacia atrás con afecto y dirán: "¿Recuerdas el verano cuando mi papá mandó construir ese adorable invernadero?".

Una de las cosas que ocupan el primer lugar de mi lista de prioridades es el "factor problema" y el grado de influencia que tengo sobre ello. Yo partiría a un lugar en el extranjero, esperando encontrar algún tipo de alojamiento al llegar, pero nunca lo haría con mis hijos. Cuando es posible, intento cubrir con anterioridad la mayoría de contingencias, de manera que pasarla bien sea lo único que nos preocupe.

Creo que vale la pena enumerar algunas de las cosas, por así decirlo, que los niños disfrutaron, así sea sólo para iluminar sus propios pensamientos:

- Playas
- Exploración
- Aventuras
- Actividades
- Nadar

- Montar en bicicleta
- Construir castillos
- Parques de diversiones
- Ir de campin
- Pasear

Continuamente me sorprendo por la cantidad de tiempo que los niños pueden divertirse en una playa. Una vez un amigo y yo llevamos a nuestros hijos, un total de cinco niños, a una playa, y ellos jugaron todo el día. El hecho de que la playa tenía un bar influenció nuestra escogencia, pero recuerde beber con responsabilidad como nosotros lo hicimos. Existe algo terapéutico en la arena y el mar (y la cerveza) y siempre puede hacer una competencia de construcción de castillos con los "engreídos padres casados" que están a su alrededor.

Lo que puede parecer un día mundano para usted puede convertirse rápidamente en un día de acción y de aventuras si hace brotar la imaginación de sus niños. Cuando estén más grandes, es muy difícil superar un buen juego de escondidas en los bosques. Construir castillos y pasear también puede ser divertido, pero no se sobrepase, intente limitar esto a una actividad de medio día o de lo contrario se aburrirán. Mencioné ir de campin porque lo hacemos un fin de semana al año con amigos, aunque odio eso de dormir sobre una colchoneta de espuma delgada que ayuda muy poco a suavizar el terreno agreste, pero como a los niños les encanta, sacrificarse de vez en cuando no hace ningún daño.

Dejé el tema del campin como último punto porque los amigos con los que siempre vamos tienen niños de edades similares y no hay nada que divierta más a los niños que otros niños. Aunque no vaya con mucha gente, escoja un lugar a donde vayan otras familias, de manera que puedan encontrar y hacer nuevos amigos. No sólo es realmente bueno para sus hijos, sino que también le dará un poco de descanso por no tener que entretenerlos durante cada hora desde que despiertan.

Cuando se trata de mantenerlos entretenidos, es bueno ir a algún lugar donde ofrezcan actividades organizadas.

Los campos de vacaciones a la vieja usanza son difíciles de superar si está buscando diversión sin límite.

La otra ventaja de estos lugares es que puede escoger actividades para quemar muchas energías como las carreras de karts, o más calmadas como ir a un espectáculo (estos se presentan virtualmente todos los días, durante todo el día). Así puede manejar los niveles variables de energía de los jóvenes.

Tipos de alojamiento

Dormir en carpa puede ser muy precario, pero es divertido y económico; a menos de que esté preparado para hacer una fogata, necesitará comer afuera todo el tiempo, lo que puede elevar los costos. Definitivamente regresará a casa sabiendo que estuvo en un aventura y si usted escogió el mismo fin de semana de julio que nosotros, con seguridad encontrará lluvia.

Una carpa y el equipo que viene con ella es una buena inversión si desea usarla un buen número de años, de lo contrario puede escoger un lugar donde ya tengan todo instalado con el equipo necesario como parte del paquete. Los parques nacionales están muy bien preparados para esto, con la ventaja adicional de que saben cómo afrontar el mal tiempo.

El alojamiento con autoabastecimiento cubre una multitud de labores, pero tiene la ventaja de ser un poco más estable y puede suministrar una buena base para sus otras actividades. La ventaja principal es que puede comer cuando quiera y lo que quiera. Significa un mayor esfuerzo al ir de compras y preparar los alimentos, pero no considero que la libertad que esto le ofrece sea un mal negocio. La mayoría de alojamientos sin servicio de comidas tienen instalaciones adecuadas para cocinar y no tiene que atravesar todo el campamento hasta la unidad de lavado para realizar las labores de limpieza.

Los hoteles tienden a ser más costosos, pero como todo lo encuentra allí no tiene que pensar qué va a llevar. Por supuesto, los estándares varían ampliamente y cuando se tienen niños

quizá tenga que conformarse con ir a un hotel familiar pequeño y amigable que le hayan recomendado, o a una cadena conocida en donde lo que usted ve (probablemente en Internet)
es lo que obtiene. Ahora la mayoría de hoteles tienen tarifa por
habitación y por noche, de manera que paga una tarifa fija sin
importar el tiempo que se vaya a quedar. Las cadenas de hoteles
normalmente ofrecen "habitaciones familiares", en las cuales
algunas tienen la capacidad de hasta cinco personas, por lo tanto se pueden acomodar todos. Esto es esencial si los niños son
muy pequeños, pero incluso si ya están un poco más grandes,
les gusta sentirse seguros teniéndolo cerca, especialmente si se
encuentran en un lugar extraño.

Planear

¿Por qué no comenzar buscando algunas fechas? Si usted tiene una relación amigable con su ex pareja, esto le ayudará a
negociar algo de flexibilidad con respecto a la fecha del viaje.
Con los niños en edad escolar, esas vacaciones de mitad de año
de seis semanas deberían permitir un tiempo de sobra para
poder descansar, pero si su tiempo con ellos ya está establecido, es mucho más difícil obtener los días que usted quiera.
Si es posible, intente estar de acuerdo en la duración más que
en la fecha específica de las vacaciones y prometa reservarlas
con anterioridad, de manera que todos sepan dónde están parados.

La próxima cosa que tiene que hacer es decidir a dónde o por lo menos a qué tipo de lugar va a ir. Piense en las implicaciones. Si escoge un lugar de su país tendrá mucho mayor control sobre posibles problemas técnicos; además no tendrá ningún inconveniente con las barreras idiomáticas. Habiendo dicho esto, existe una gran ventaja en ir al exterior, pues a su regreso sentirá que tuvo un descanso apropiado. Hoy día muchos centros turísticos ofrecen una atmósfera relajada y si escoge algún lugar convencional muchos de los habitantes hablarán su idioma y podrá ser capaz de defenderse. Hacia el ecuador tendrá más posibilidades de disfrutar de un buen clima, no debería subestimar lo difícil que puede llegar a ser mantener a los niños entretenidos durante toda una noche de lluvia.

Siempre que sea posible, busque a alguien en quien confiar para que le dé una recomendación personal. Esto le podrá ahorrar una cantidad de inconvenientes puesto que sabrá de los mejores lugares para ir de compras, comer o entretenerse, ellos le recomendarán las mejores playas y le dirán a dónde debe ir si quiere alquilar un automóvil. La mayoría de nosotros solamente va a algún lugar una vez y puede ser muy frustrante si pasa todo el tiempo buscando la mejor manera de disfrutarlo cuando simplemente debería divertirse. En este punto vale la pena revisar si el centro de vacaciones que está a punto de reservar es bueno para la familia y no es una cloaca de adolescentes en juerga.

Internet puede ser un gran lugar para comenzar a buscar, tenga en cuenta que es muy fácil hacer ver las cosas mejor de lo que realmente son. Después de todo, los sitios que visite funcionarán sólo como un folleto en línea que puede ser tan decepcionante como la versión impresa. La otra dificultad con Internet es que este tiende a no ser regulado, escoger una compañía que esté acreditada por asociaciones gremiales es mi mayor recomendación. Si teme ser abandonado a su llegada, verifique que haya representantes de la compañía de vacaciones que puedan resolver cualquier inquietud.

Si ve algo que parece ideal pero no confía del todo para tomar la decisión, llame a la compañía o envíeles un correo electrónico con sus preguntas. El tipo de respuesta que reciba le ayudará a tomar la decisión.

Una vez haya definido las fechas y el destino, asegúrese de hacer la compra correcta, puesto que hay una gran variedad de precios según la compañía con la que reserve y normalmente es mucho más barato hacerlo en línea. En el momento de hacer la reserva vale la pena tener en cuenta las condiciones de su viaje, entonces si va a salir al exterior necesitará pasaportes y posiblemente visas para usted y sus hijos. Tal vez requiera de vacunas o un seguro médico adicional; si está pensando en alquilar un automóvil no olvide llevar su licencia de conducción. Aunque pueda parecer prematuro, es una buena idea hacer una carpeta de vacaciones y poner allí toda la documentación relevante. Por lo menos así está todo en un solo lugar.

Comience una lista de verificación de cosas que necesita empacar y añada a ellas los artículos que se le van ocurriendo; esto es mucho mejor que estar en carreras por toda la casa la noche anterior intentando recordar todo. He incluido mi propia lista como ejemplo, no es una lista exhaustiva pero cubre las áreas principales y es un buen punto de partida.

Muchos de esos artículos estarán determinados por el tipo de vacaciones que va a tomar. Si va a un lugar caliente y soleado, considere cómo va a proteger las suaves y jóvenes pieles de los niños. Junto al protector solar, compre una crema humectante para después del sol y asegúrese de llevar para todos. Por otra parte, si va ir de campin, le aconsejo que compre impermeables y sombreros impermeables.

LISTA DE VACACIONES

ROPA

Escoja la ropa apropiada según las condiciones. Si va a ir a un lugar caliente, lleve muchas camisetas y pantalonetas, y una sola prenda más abrigadora, en caso de que haga frío en las tardes. Si va a viajar al exterior lleve una muda de ropa apropiada para su propio clima, de manera que pueda utilizarla en su viaje de regreso. Al igual que muchas medias y ropa interior, incluya el equipo de natación en caso de necesitarlo (si los niños tienen, lleve gafas de natación y flotadores). Dependiendo de la época del año, necesitará un equipo más completo, algo que lo mantenga protegido de la lluvia; no sólo es una ventaja sino que puede llegar a ser esencial.

Artículos de aseo

Usted debería ser capaz de juntar todas sus cosas de aseo pero no olvide incluir lo esencial como el jabón, champú y crema dental. Las botellas más grandes que contengan líquidos, como por ejemplo la del jabón líquido para la ducha, es mejor envolverlas en una bolsa plástica por separado y empacarlas en alguna parte del equipaje en donde quienes lo manipulan no las puedan dañar. Para los niños, lleve cepillo de dientes y una toallita o esponja (es difícil bañarlos sin una) así como un cepillo para el pelo. Otro artículo importante es el paquete de paños húmedos. Incluso si ya han pasado la etapa de los pañales, aquellos son grandiosos para limpiar los dedos pegajosos o refrescar las pequeñas caras calientes durante largas esperas en los aeropuertos. No son de gran ayuda si los empaca en el equipaje de carga, mejor llévelos en su equipaje de mano. Ahora que tocamos este tema, en estos días no se permiten elementos cortopunzantes en su equipaje de mano ni líquidos, por lo tanto empaque en su maleta principal el cortauñas, las tijeras o cualquier otro utensilio que pudiera ser utilizado potencialmente como un arma.

Botiquín

No me refiero a un desfibrilador portátil, sino sólo a unas pocas cosas fundamentales que lo podrían salvar de salir corriendo hacia la farmacia más cercana. Un frasco de jarabe para el dolor de cabeza (usted sabe cuál), unas cuantas vendas adhesivas y un frasco de Isodine aliviarán los malestares más comunes del día a día; recuerde lo que dije anteriormente acerca del bloqueador solar y esas cosas parecidas: prevenir es mejor que curar. Los niños se sentirán miserables si usted se siente mal, por lo tanto tener Acetaminofén para adultos es buena idea, también algo que le ayude a detener la diarrea en caso de ser propenso a dichos malestares.

Entretenimientos

Los casetes de historias o discos compactos de música son buenos para entretener a los niños dentro del auto, pero de acuerdo con la edad añada libros para colorear, rompecabezas o simplemente papel en blanco para que ellos puedan dibujar y colorear. En esta categoría también pondría sus muñecos de peluche favoritos. Puede que no sean importantes para usted pero no se imagina cómo sería un viaje para nosotros sin Bubu el oso (para ser honesto ni siquiera quiero descubrirlo). Si tiene espacio para llevarlo y su destino garantiza que lo puede usar, incluya un *frisbee*, una cometa, una pelota para la playa o un equipo deportivo, serán horas de diversión para toda la familia.

Equipo

A continuación enumero algunas opciones de artículos adicionales que puede llevar. Una nevera portátil si pronostica climas cálidos, pero sólo si tiene acceso a un congelador para los paquetes de hielo. Una navaja, no sea que se encuentre con un caballo mal herrado que tiene dificultades por un camino empedrado (ríase si quiere, pero algún día puede que necesite realmente una). Un tapón universal (para utilizarlo en el lavamanos, en la ducha, etc.). Si sale de campin necesitará un par de alicates, los cuales son la herramienta universal del amante del bricolaje (los alicates son lo que todo el mundo utiliza cuando no se tiene la herramienta adecuada).

Finalmente un *walkman* o su equivalente con un pequeño par de altavoces externos para inducirlo al sueño con Mantovani (¡nuevamente!) o para poner los casetes de historias para entretener a los niños.

Cuando haya avanzado un buen camino y tenga todo organizado, puede darle la noticia a sus hijos acerca de dónde van a ir. Siempre tengo cuidado de asegurarme de que todo esté confirmado antes de hacerlo, pues no hay mayor decepción para ellos que decirles que no podemos ir a las fabulosas vacaciones que semanas atrás les había prometido. Sin duda querrán saber todo acerca del lugar y lo que van a hacer, así que es fácil crear un poco de entusiasmo y excitación. Sin embargo, no sea tan específico sobre un aspecto en particular de las vacaciones, los niños tienden a aferrarse a un detalle que les suene atractivo. Si está seguro de que existe un parque de diversiones acuáticas para visitar, entonces dígaselos; pero si llega allí y encuentra que es un gran hueco en la tierra lleno de agua estancada, usted estará en aprietos.

La hora de empacar

Existe una ley de la física aplicada a las vacaciones que nunca he sido capaz de comprender: no importa con cuánto tiempo de anticipación las haya planeado, siempre estará corriendo como un lunático la noche anterior, deseando haber organizado todo mejor y todo esto para un evento que se supone debería ser relajante. No existe ningún consejo que le pueda ofrecer que combata esta ley, todo lo que puedo decirle es que mi propia estrategia involucra establecer un "cuarto de vacaciones" por lo menos con una semana de anticipación. Puesto que mis hijos no están conmigo todo el tiempo, yo utilizo una de sus habitaciones como un depósito para todas las cosas de las vacaciones y dispongo sobre las camas las cosas que normalmente tengo listas, incluyendo la ropa de cada uno, los implementos de aseo, libros que quizá pueda leer (¡ah!) y, por supuesto, la carpeta vital de vacaciones (¡no sólo contiene los documentos importantes sino que ahora sé exactamente dónde está!).

Ya he dicho que el último minuto de afán es inevitable y ciertamente nunca he estado en unas vacaciones en las que esto no haya sucedido, pero recuerde que los niños no saben o no entienden esto, todo lo que ellos ven por delante es una semana o dos de diversión. Si, en su pánico, usted se pone de mal genio o se vuelve insoportable, todo lo que hará es apagar el entusiasmo del inicio de las vacaciones, de manera que sea organizado e incluso intente retener su ansiedad.

La última cosa en la que tiene que pensar antes de irse es que aunque está a menos de un día de su destino, aún tiene un viaje por realizar. Para unos niños ansiosos este es un día muy aburrido que los priva de la diversión que están esperando, por lo tanto disminuya el estrés asegurándose de tener suficientes refrigerios y bebidas a bordo, así como algo que los mantenga entretenidos. Un juguete nuevo, comprado en el aeropuerto, puede mantener a un niño entretenido por no más de diez minutos.

En viajes largos en auto usted puede evitar la frase "¿ya casi llegamos?" poniendo los casetes de historias o los discos compactos que mencioné, o incluso música apropiada para su edad. Los niños muy pequeños escucharán lo mismo una y otra vez, aunque esto podría volverlo loco. Creo que hay muchas versiones de la historia. He descubierto que la biblioteca local es una buena fuente para alquilar nuevos materiales para los niños y una vez esté de vuelta los puede devolver fácilmente.

SENTIRSE EN CASA

Cuando llega al lugar donde se va a hospedar, tendrá ese extraño comportamiento humano de "socializarse" con su entorno. ¿Ha notado alguna vez que cuando llega por primera vez a una habitación de hotel o a un apartahotel sin servicio de comidas, primero merodea un poco, abre un cajón o el guardarropa, prende la luz del baño, hecha un vistazo y se come una galleta dulce de mantequilla? Pasé cientos de noches en hoteles (cuando trabajé en negocios) y el patrón siempre era el mismo. Tal vez pensaba que un día abriría la puerta del baño y habría algo diferente a una ducha, un lavamanos y un inodoro. Tal vez encontraría al Malvado Hongo (Fungus de Bogeyman) restregando las paredes de la ducha o a Catherine Zeta Jones de pie al lado del lavamanos limpiándose los dientes con seda dental, ¿quién sabe?

Sólo menciono esto porque los niños hacen exactamente lo mismo (asegúrese de llegar primero por la galleta de mantequilla) y si su alojamiento es lo suficientemente grande (como un apartamento, por ejemplo), a ellos les fascina que les permita escoger su propia habitación. Ubicar uno de sus muñecos de peluche favoritos sobre la cama escogida les hará sentirse inmediatamente como en casa.

Entonces, ya está aquí, ya está organizado; de ahora en adelante sólo tiene que divertirse. No le voy a decir cómo hacer esto porque si a estas alturas no lo sabe, usted es una causa perdida. La única cosa que diré es que es bueno equilibrar las actividades con algunos descansos. Si tuvo una mañana agitada chapoteando en la piscina, entonces no organice una vuelta en bicicleta de diez millas para la tarde. Alguna vez conocí a una pareja que llevó a sus hijos al parque de diversiones en Orlando. Estoy de acuerdo con que los pases para entrar son costosos de manera que no querrá pasar simplemente una hora allí, pero ellos se fueron al extremo opuesto, poniendo a sus hijos en una "maratón de diversiones" hasta que quedaron absolutamente exhaustos. No le encuentro sentido a eso. Para evitar una incomodidad, estrés innecesario y dependiendo de la edad de sus hijos, los pequeños descansos pueden ser un aspecto normal durante el día, por lo tanto es bueno si puede desarrollar un sexto sentido para saber en qué momento hacerlos, algunas veces sólo necesita utilizar su sentido del olfato.

Considere la necesidad de hacer descansos o paradas en pits como nosotros las llamamos. Esto es importante cuando las vacaciones son bastante activas, pues las reservas de energía de los niños pequeños (y normalmente las de sus padres también) se agotarán con rapidez. Estoy muy agradecido con mi hermano mayor por haberme enseñado a tener bebidas y refrigerios a mano cuando uno sale con los hijos. Es obvio que esto necesita un poco de organización y pensar con anticipación, lo cual puede ser un dolor de cabeza, pero es mucho mejor que tener unos niños insoportables con hambre y sed. Su habilidad innata de hacer aparecer un pastel de su bolsillo en un momento de angustia, de día o de noche, será la envidia de cualquier mago.

Las vacaciones, como todas las cosas buenas, tienen que terminar y normalmente los niños se ponen de muy mal humor cuando llega ese momento. De hecho si no ven la hora de llegar a casa, probablemente algo salió mal. Aunque se esté sintiendo miserable, es su responsabilidad mantener su entusiasmo con frases de optimismo sobre las grandes vacaciones que vendrán en el futuro.

Una fantástica idea para prolongar la diversión, incluso después de haber regresado a casa, es ayudar a los niños a compilar un álbum de recortes de las vacaciones. Es una cosa simple de hacer y muy divertida, con el beneficio adicional de capturar la esencia del momento y observarlo con nostalgia algunos años después. Así como una selección de fotografías, intento guardar un puñado de recibos de los restaurantes a los que fuimos, peajes que cruzamos, comestibles que compramos, atracciones que visitamos, todo lo que evoque una imagen de las vacaciones. En una ocasión los niños se divirtieron mucho con el gracioso cereal que recibieron al desayuno, que no se consigue en nuestra ciudad, corté la parte frontal de la caja para que ellos la pudieran pegar en su álbum. Puede sonar ridículo, pero normalmente estas pequeñas cosas son las que hacen los momentos vividos. Durante el proceso de compilación, los niños escribieron sus propios comentarios sobre algunas de las cosas que utilizamos, que por supuesto fueron graciosas en el momento y sin ninguna duda serán las que les proporcionen horas de entretenimiento cuando las vuelvan a ver.

Evitaré decirle que usted debería mantener un diario cuando está de vacaciones porque se puede convertir en toda una tarea. Cierta vez mi hija hizo anotaciones ocasionales de lo que habíamos hecho durante algunos días, de manera que las pegamos en el álbum junto con otras memorias como un recuerdo adicional de lo que sucedió.

Las vacaciones son maravillosas o por lo menos deberían serlo. Si usted piensa que este capítulo ha sido una operación militar de planeación cuidadosa, entonces todo lo que puedo decir en mi defensa es que es mejor así que mirar hacia atrás con terror a lo que se suponía iba ser el mejor momento que podía compartir con sus hijos como padre soltero. Todo lo que haga con anticipación estará allí para asegurarle que nada pueda arruinar su diversión y sus hijos lo recordarán por ello. ¿Súper chévere o no?

LOS RECUERDOS ESTÁN
HECHOS DE ESTO

Yo tengo una memoria espantosa. Con el pasar de los años mis novias han tenido que sufrir esto y yo simplemente las he evadido diciéndoles que es una cosa de hombres. De hecho yo solía decir: "Qué es eso" o "Ajá". Lo que sucede es que tengo memoria selectiva. Soy bueno recordando las cosas que yo quiero, ¡es sólo que no siempre son las mismas cosas que otros esperan!

Si esto le es un poco familiar, entonces aquí le doy una solución innovadora que romperá con todas las teorías para resolver el problema: un planificador anual para un padre soltero. Existen varias y buenas razones para que yo haya compilado esto, una de las más importantes es el hecho de que no quiero que mis hijos de ninguna manera piensen que no me intereso por ellos. Es cierto que es imposible olvidar sus cumpleaños pero existen muchas cosas que suceden en sus vidas que también son importantes para ellos y que yo olvidaría si no las escribiera. Por lo tanto he sugerido la inclusión de eventos en el colegio como tardes con los padres, conciertos u obras de teatro navideñas. Además añado eventos ocasionales, a medida que van surgiendo, de manera que si me han dicho que van a quedarse a dormir el sábado, o van a ir a una fiesta donde fulanito, yo lo escribo inmediatamente para que cuando hable con ellos al día siguiente pueda preguntarles cómo les fue. Puede pensar que es extraño pero también escribo mi propio cumpleaños en él. No es porque sea posible que se me olvide pero cuando se llega a cierta edad estas cosas vienen y van sin que uno se percate de ello. Sin embargo, sólo porque me he vuelto más displicente con respecto a celebrar mis cumpleaños, no es justo hacer que ellos dejen de celebrármelo, de manera que siempre dejo un tiempo libre ese día para que ellos puedan divertirse por mi cuenta y comer torta.

Si ha tenido una separación difícil, podrá no estar muy inclinado a ayudarles a celebrar el cumpleaños de su mamá y mucho menos el día de la madre, pero una vez más esto es algo que debe hacer por sus hijos, no por usted. Ojalá fuera recíproco. A mí no me importa el día del padre, pero imagínese lo horrible que sería si el resto de los niños estuvieran haciendo tarjetas y los suyos dijeran que ¡no vale la pena porque no existe motivo de celebración!

Aunque he suministrado el "software" (por ejemplo la lista de eventos importantes), usted tendrá que poner un poco de su parte, buscando el "hardware" (por ejemplo un planificador anual), y utilizarlo de manera apropiada. Un buen momento para esto sería el Año Nuevo cuando está lleno de buenas intenciones y aparte de darle un toque cálido una vez lo termine, también durará más tiempo que cualquier otra determinación que haya tomado.

Yo escogería ubicar el planificador en la pared de la cocina. Esto es una idea maravillosa porque todos lo pueden ver y así puede comenzar a estimular a sus hijos a tomar responsabilidades de sus propios eventos por venir tan pronto como hayan crecido. Estoy seguro de que no necesita mi ayuda para establecer sus códigos de color, pero me he detenido en unos pocos consejos de la lista, a medida que he pensado en ellos, que le serán de gran ayuda. También vale la pena recordar que sólo tiene que pasar por este doloroso proceso una vez, pues todo lo que tiene que hacer el siguiente año es copiar las fechas de la tabla actual.

CUMPLEAÑOS

No olvide incluir el suyo, el de su ex esposa y el de todos los otros amigos y familiares a los que normalmente les envía una tarjeta. Si tiene sobrinas y sobrinos, un buen consejo sería anotar los años que van a cumplir ese día y recuerde sumar un año cuando lo transfiera al planificador del año siguiente.

TRABAJO Y JUEGO

Lógicamente, todo lo que no esté dentro del semestre debe ser tiempo de vacaciones y puesto que en su propia medida ambos son importantes, cada uno debe registrarse en el planificador. Obtenga las fechas de los períodos del colegio de sus hijos y no olvide registrar las semanas de descanso a mitad del año, puesto que esto es una oportunidad de tener unos pocos días más que los normales o tal vez coordinar una larga salida de fin de semana.

DÍAS FESTIVOS

Casi siempre los olvido y puesto que nunca tengo nada planeado pueden ser un poco inoportunos. A continuación presento la lista actual de los días festivos, teniendo en cuenta que las fechas específicas pueden variar si coinciden con un fin de semana (mire una agenda para los detalles):

- Año Nuevo
- Jueves y Viernes Santo (depende de cuándo sea la Semana Santa)
- Primero de mayo
- Día de la independencia
- Fiestas de Navidad

Festivales y eventos

Esto puede variar un poco dependiendo de la religión, estilo de vida suyo o de sus hijos, pero no olvide escribirlos en su planificador (o en cualquier sistema que utilice).

Otros

Admito que tener "otra" categoría es más bien como una evasión pero no podría pensar dónde más ubicar estas fechas y no quisiera que las omitieran.

- Día de la Madre: su madre y la mamá de sus hijos (mayo)
- Día del Padre: igual que lo anterior (junio)
- Aniversarios

Debido a que este es el planificador anual de un padre soltero, utilizarlo para otros cumpleaños y similares de otros miembros de la familia es hacer un poco de trampa, pero existe una muy buena razón. A causa de mi síndrome de memoria selectiva solía apoyarme fuertemente en mi esposa para escribir los eventos importantes en el calendario y asegurarme de enviar una tarjeta en el momento apropiado. Ahora estoy soltero de nuevo y todo está patas arriba, pero no quiero que mi mamá o hermana piensen que no puedo afrontar esto por mi cuenta. Odiaría que eso sucediera.

En la salud
y en la enfermedad

Este es un capítulo acerca del sentido común. Digo esto justo al comienzo porque no sólo estoy lejos de ser un médico experto, sino que mis conocimientos se limitan a mantener a mis hijos saludables hasta cierto grado antes de tener que llamar a los profesionales, le recomiendo este mismo curso de acción. Voy a decir esto aquí y ahora: si está preocupado sobre cualquier aspecto de la salud de sus niños, no importa qué tan trivial pueda sonar, entonces le ruego que busque consejo apropiado inmediatamente, ¡no confíe en mí!

Estoy seguro de que debe haber momentos en que los doctores están hartos de los preciados padres que se vuelven neuróticos por el mínimo cambio en el aspecto o comportamiento de sus niños, pero debido a que los riesgos al no determinar los signos de enfermedad son mucho mayores en niños pequeños, ellos toleran con mucha gracia las falsas alarmas.

PREVENIR ES MEJOR QUE CURAR

Cuando se preocupa por el bienestar de su familia, usted puede hacer muchas cosas para prevenir que se sientan mal. Una dieta balanceada es un buen punto de partida y aunque los niños se resistirán naturalmente ante cualquier cosa que se vea saludable ya que prefieren otras deliciosas alternativas altas en grasa y azúcares, usted tiene que seguir intentándolo. Aunque todavía no he podido convencer a ninguno de mis hijos de los beneficios del repollo, los vegetales menos "ofensivos" son parte regular de todas nuestras comidas.

"Moderación al darles gusto" es mi mantra, de manera que la mayor parte del tiempo soy feliz al dejar que mis hijos coman una cantidad razonable de cualquier cosa que ellos quieran, siempre y cuando sea una buena mezcla. Una vez conocí a un muchacho que sólo comía chocolates, cosas crujientes y papas fritas, realmente, era demasiado. Aunque él se veía BIEN externamente, me aterra pensar cómo estarían luchando sus arterias y el efecto colateral que esto provocaba. Es muy difícil encontrar un restaurante que sólo sirva ese tipo de cosas. Yo culpo a sus padres, y por ello no quiero caer en la misma trampa.

El ejercicio es igualmente vital para mantenerse en buena forma y con los niños existen cientos de maneras de hacerlo sin convertirlo en una tarea aburrida. Patear un balón en el parque o un paseo a una piscina difícilmente se verá como un castigo y es tan bueno para usted como para ellos. No soporto leer en los periódicos sobre niños teleadictos, simplemente no existe excusa. Antes hablé sobre cómo el ejercicio libera endorfinas haciendo que los adultos nos sintamos más felices y contentos; lo mismo aplica para los niños, con el beneficio adicional que pueden dormir mejor al igual que sentirse recompensados.

Hablando del sueño, vale la pena recordar que este es parte vital de una buena salud. Si sus hijos están permanentemente irritables y usted no puede encontrar el porqué, intente llevarlos a la cama un poco más temprano y observe si esto hace alguna diferencia. También es esencial asegurarse de que su casa tenga una temperatura adecuada para sus hijos, particularmente en invierno. Puede que usted no sienta el frío pero si ellos lo notan, y están fríos todo el tiempo, estarán más propensos a enfermarse.

MOLESTIAS FÍSICAS

Las medidas básicas de prevención de enfermedades son una cosa, pero como parte de su responsabilidad en el cuidado de los niños también necesita prevenir los accidentes en el hogar, los cuales hasta ahora son los más grandes contribuyentes de la carga laboral de los departamentos de urgencias en los hospitales. Existen muchos consejos disponibles en los centros de salud, tanto en folletos como en Internet, que le ayudarán a sobrellevar las dificultades más obvias, pero aparte de eso, necesita desarrollar un sexto sentido para intuir cuándo los pequeños dedos pueden quedar atrapados en las puertas o se pueden derramar bebidas calientes sobre la piel delicada. Ahora más que nunca necesita ver el mundo desde el punto de vista de sus hijos.

A continuación presento la clase de consejos que puede encontrar:

- Sea consciente de las habilidades cambiantes de sus hijos y aprenda a verlos desde el punto de vista de la seguridad.
- Esté pendiente siempre de sus hijos cuando juegan.
- Cuando esté preparando el baño de sus hijos, vierta primero el agua fría y luego la caliente.
- Un niño puede caer fácilmente de una ventana. Disponga pestillos de seguridad en todas las ventanas de los pisos superiores, restrinja su apertura a 10 cm y mantenga los muebles en que se puedan subir alejados de las ventanas.
- Un bebé puede sofocarse o asfixiarse fácilmente; evite los objetos pequeños.
- Un niño se puede ahogar muy rápido incluso con poca agua; permanezca con su hijo todo el tiempo cuando esté en la tina o en una piscina inflable en el jardín.
- Ubique fuera del alcance de los niños los adornos fáciles de romper (especialmente de vidrio).

Puede que exagere al no permitirles desarrollar ninguna habilidad por sí mismos. Evaluar el momento en el cual sus habilidades motoras están suficientemente desarrolladas para ser capaces de poder realizar tareas más complejas es una cuestión de criterio.

Si ha de pasar lo peor, necesita estar preparado para poder arreglárselas con la ayuda de un botiquín de primeros auxilios. La mayoría de las farmacias disponen de botiquines caseros o también puede tener una versión de botiquín para viajes que es bueno mantener en el auto para emergencias, pero también puede hacer su propio botiquín.

A continuación enumero algunos de los artículos que debe incluir:

- Vendas adhesivas de varios tamaños
- Tijeras
- Pinzas (para remover astillas)
- Crema antiséptica (conocida en nuestra casa como "crema mágica")
- Toallas limpiadoras antisépticas
- Algodón
- Microporo y gasa

El último artículo de la lista aparece porque he descubierto en muchas ocasiones que no existe una venda adhesiva lo suficientemente pequeña para los deditos de las manos y pies, así que hemos tenido que hacer nuestras propias "minivendas".

Además de los artículos de primeros auxilios contamos con otras cosas en nuestro botiquín:

- Acetaminofén infantil en suspensión oral (¡ahora también disponible en sobres!)
- Jarabe para la tos
- Remedio para el resfriado (para niños)
- Paños refrescantes para la fiebre (no están diseñados para reducir la temperatura pero son calmantes)
- Ungüento o líquido vaporizante (para calmar la congestión)
- Termómetro infantil (algunos vienen en forma de tiras que pueden ser ubicados sobre la sienes)
- Sales rehidratantes (para después del vómito; algunas vienen con sabores a fruta).

Algunas de estas cosas pueden ser una gran fuente de alivio si sus hijos se están sintiendo un poco indispuestos; más que cualquier cosa, los hará sentir mucho mejor saber que usted ha hecho algo por ellos. Sin embargo, para cualquier otra cosa diferente a "sentirse un poco indispuesto" necesitará de un mayor grado de conocimiento, el cual puede encontrar en una escala de niveles de ayudas.

En el nivel básico puede considerar llamar a un amigo en quien confíe o a un miembro de la familia que haya tenido niños. Las comunidades (¿las recuerda?) acostumbraban estar llenas de mujeres mayores quienes criaron a un sinnúmero de niños y en quienes podía confiar para recibir un buen consejo, con los pies puestos sobre la tierra, sobre un amplio rango de enfermedades, pero tristemente esto se está convirtiendo en una cosa del pasado. Sin embargo, cualquier padre responsable le podrá ofrecer el beneficio de su experiencia y si no están seguros, probablemente le recomendarán que busque ayuda profesional.

En estas condiciones podría escoger contactar la línea directa del Servicio Nacional de Salud, una línea de ayuda 24 horas que cuenta con enfermeras calificadas que le pueden dar consejo inmediato vía telefónica. También existe una versión vía Internet, con bastante información acerca de síntomas y sus posibles causas, pero esto es bueno únicamente si tiene tiempo para navegar. Si siente un poco de pánico, es mejor que llame.

Después de este nivel sigue su médico general. Si se encuentra en forma y saludable y no tiene ninguna motivo para visitarlo, es muy fácil olvidar que los niños puedan necesitar de sus servicios. Asegúrese de saber quién es su doctor y mantenga el número a mano y no archivado en un lugar tan seguro que cuando lo necesite no lo pueda encontrar.

Si yo fuera el doctor a quien llaman, no estaría tan entusiasmado si me piden salir en una noche fría y de mucho viento para ver a alguien que podría tener una indigestión, pero como lo mencioné anteriormente, ellos parecen hacer una excepción especial ante los niños y mi propia experiencia me dice que nada es demasiado problema.

El último curso de acción es correr hacia el hospital local, pero asegúrese de conocer la mejor ruta (a cualquier hora del día o de la noche) y que el hospital que tiene en mente tenga un departamento de accidentes y urgencias. De nuevo, los niños parecen tener un tratamiento prioritario en dichos lugares, pero intente respetar el hecho de que estos están diseñados para emergencias reales y sólo se deben utilizar como último recurso.

Finalmente, y espero que nunca llegue a esta etapa, si las cosas son realmente funestas, levante el teléfono y marque el 123, o el número de emergencia de su país, para pedir una ambulancia.

Salud mental y emocional

Hasta ahora en este capítulo he hablado sobre las molestias físicas, pero esto es sólo una parte de nuestro bienestar general. Los problemas de salud mental están en aumento: una de cada diez personas sufre de este tipo de problemas en algún momento de su vida en los países desarrollados.

Yo estoy en deuda con mi amigo el profesor Cary Cooper de la Universidad de Lancaster por sus opiniones sobre cómo y por qué ocurren estas cosas. Él me dice que en parte se deben a nosotros como individuos y a nuestra habilidad de sobrellevar las presiones de la vida, pero en alguna medida, también se deben a los estilos de vida que ahora llevamos.

Para los adultos, el cambio en los patrones de trabajo, normalmente encaminados por la tecnología que nos permite estar siempre disponibles es un factor determinante. La necesidad de afrontar los roles cambiantes de hombre y mujer, una cultura de "largas horas" de trabajo, inseguridad laboral y una administración por objetivos más exigente, dan como resultado un incremento en la competencia. Muchos de nosotros ya no vivimos cerca de otros miembros de nuestras familias y durante las últimas generaciones se ha ido perdiendo el sentido de comunidad que ha contribuido bastante a disminuir nuestra red de apoyo social. Los medios de comunicación también influyen al volvernos más egocéntricos y ambiciosos, de manera que tenemos una mayor tendencia a imitar los patrones y a sentirnos incómodos con nosotros mismos.

Para los niños, el panorama tampoco es color de rosa de acuerdo con el Mind, entidad sin ánimo de lucro para la salud mental. Las investigaciones han demostrado que el 20% de los niños del Reino Unido sufren, en algún grado, de problemas mentales o emocionales, y que una tercera parte de ellos experimentan episodios de la enfermedad a lo largo de sus vidas adultas.

El Mind enuncia las razones: las altas cifras incluyen las influencias genéticas, conflictos, ruptura familiar, alcoholismo, dolor, abandono y más, lo cual constituye un panorama desalentador que no podemos controlar del todo. Sin embargo, hice lo que pude para detallar algunos factores importantes en los problemas emocionales y sólo puedo recomendar que si necesita ayuda adicional debe buscar consejo de un profesional.

COLEGIO

Aunque nuestros días de colegio son tipificados como los días más felices de nuestras vidas, muchos de nosotros sabemos que esto está lejos de ser nuestro caso. La falta de apoyo familiar, intimidación y preocupación por los exámenes son algunos de los factores más comunes que ensombrecen nuestra experiencia. Usted puede ser capaz de sobrellevar algunos de estos problemas por sí mismo, especialmente si se toma el tiempo para hablar y escuchar al niño con problemas, pero algunas veces ellos se sienten incapaces de abrirse ante usted, de manera que buscar consejo profesional, acceder al psicólogo del colegio o a profesionales del área puede ayudar.

RELACIONES

En la vida de un niño no se puede subestimar la importancia de las relaciones con los amigos y los miembros de la familia. Visto desde el lado positivo esto brinda apoyo y satisfacción, pero las relaciones abusivas, que pueden ser físicas, verbales o que pueden involucrar poca o ninguna comunicación, son perjudiciales para la salud mental. Usted no puede escoger sus amigos, pero puede estimular las relaciones que los hagan felices.

Durante los años de adolescencia, los niños normalmente querrán pasar menos tiempo con usted y más tiempo con sus amigos, lo cual es natural en su crecimiento y la búsqueda de su independencia, pero sólo porque ellos muestran menos sus sentimientos hacia usted, no significa que la relación que tiene con ellos no es tan importante como para dejar de apoyarlos en su desarrollo. Esta falta de conexión externa con usted se suma perfectamente a las sabias palabras de Mark Twain, quien dijo: "Cuando era un niño de 14 años, mi padre era tan ignorante que difícilmente podría soportar tener al viejo a mi alrededor. Pero cuando cumplí los veintiún años, me sorprendí de cuánto había aprendido él en siete años". En alguna etapa de sus vidas, los hijos tienen todo el derecho de creer que somos unos tontos, puesto que en algunos momentos lo somos. Si ve la edad de los doce años como la "edad del pedestal", en la que nunca se equivoca, entonces prepárese para caer en picada a la realidad después de eso. Es una buena manera de mantener los pies sobre la tierra.

Familia

Me preocupé un poco cuando leí por primera vez sobre la investigación que decía que la familia y el entorno del hogar desempeñaban un papel vital en el bienestar emocional de los niños. Sin embargo, la buena noticia es que existe bastante evidencia de que esto puede ser una fuerza positiva, incluso en hogares que ya no están modelados sobre la "familia nuclear" (dos padres más los niños dependientes), noticias alentadoras para nosotros los padres solteros.

De hecho, el número de niños que viven en "familias nucleares" está en detrimento y en 1996 los padres solteros encabezaban el 21% de las familias con niños dependientes. En la mayoría de los casos esto sucede en los hogares maternos, pero cerca del 15% de las madres solteras se vuelven a casar o deciden vivir en unión libre cada año, de manera que a menudo el concepto global de la familia puede estar en estado de cambio.

El resultado de todos estos cambios tan variados en nuestra sociedad puede multiplicarse y aquí no detallaré todos los posibles efectos. Sin embargo, escogí unos pocos con el perfil más alto o los efectos negativos más comunes que pueden sucederle para que esté consciente de ellos.

DESÓRDENES ALIMENTARIOS

Los anoréxicos pasan hambre comiendo muy poco o nada; las personas con bulimia se atiborran o hartan con comida y luego inducen el vómito. Los desórdenes alimentarios son más comunes en las niñas, pero también están en aumento en la población adolescente masculina. La edad promedio para el inicio de la anorexia está en los 15 años y para la bulimia en los 18 años.

La preocupación por el sobrepeso y la baja autoestima puede inducir a los adolescentes a realizar dietas y en casos extremos provocar los desórdenes alimentarios, de manera que animar a sus hijos a que tengan una imagen corporal más positiva puede ayudar. No subestime la tarea exponiéndolos constantemente a los mensajes de televisión, revistas y de las vidas modelo donde ser delgado es atractivo.

Depresión

Los síntomas de la depresión pueden incluir estar de mal humor, pérdida de apetito, reducción de energía y falta de entusiasmo por las actividades que normalmente considera agradables. Las causas de la enfermedad no están bien definidas puesto que al parecer los factores involucrados pueden ser tantos y tan variados como las personas afectadas. Las razones más comunes incluyen los problemas familiares, preocupaciones sobre el futuro y relaciones disfuncionales, y aunque su médico general le puede prescribir antidepresivos, también es muy común que le recomiende algún tipo de consejo o ayuda psiquiátrica. Usted necesita saber esto puesto que algunas veces el tratamiento puede incluir a otros miembros de la familia, incluso a usted mismo. No es bueno para nada afirmar que este no es su problema aunque sea claro que usted no es la causa. En cambio es necesario que usted sea su gran apoyo y sustento, como si se tratara de una enfermedad física.

ANSIEDAD

La ansiedad y las fobias son algunas de las formas más comunes de enfermedades mentales que afectan a cerca de 2,8 millones de personas en el Reino Unido en cualquier momento. Estas enfermedades están relacionadas con el miedo, no siempre de tipo racional. Podría ser miedo a conocer nuevas personas, miedo a un lugar (colegio, por ejemplo) o a un animal, como las arañas.

Lo que normalmente sucede con la ansiedad es que el pánico ataca causando una gran variedad de síntomas como hiperventilación (exceso de oxígeno en la sangre), palpitaciones y dolores en el pecho, algunas veces tan severos que quien los sufre cree que va a morir y experimenta una sensación extremadamente desagradable.

Algunas veces se prescriben tranquilizantes y píldoras para dormir, pero debido a sus efectos colaterales (y el hecho de que simplemente calman la ansiedad) son preferibles las técnicas de relajación y las terapias de comportamiento como parte de una solución a largo plazo.

Ahora, si todo esto no lo ha deprimido, no sé qué lo haría. Lo importante que debe recordar es que necesita estar consciente (mas no paranoico) sobre los tipos de enfermedades que pueden ocurrirles a sus hijos, intente apoyarlos a lo largo de estas, resista la tentación de decir "cálmate" y mejor busque ayuda profesional en una etapa temprana.

Una perspectiva saludable

Si contamos con buena salud, tendemos a darlo por hecho cuando realmente deberíamos verlo como una bendición, pero al otro lado de la escala reposa la hipocondría, la cual es lo suficientemente mala si es usted quien la padece y peor aún si se la contagia a sus hijos. Algunas veces necesita ignorar los dolores y malestares extraños y continuar con la vida, no se fije demasiado en cada pequeña dolencia. Como en todas las cosas con los niños, si pone un poco de racionalidad y planeación, será capaz de sobrellevar la mayoría de las eventualidades.

Sea precavido y con suerte no tendrá que llamar con frecuencia a los servicios profesionales al cuidado de la salud, sea responsable, evite accidentes en el hogar y considere su escala de niveles de apoyo médico, la cual puede emplear de acuerdo con la seriedad del problema.

Cuando las personas no se sienten bien, normalmente ocurre un cambio en ellas, ya sea físico o en su comportamiento, entre más conozca a sus hijos, más fácil será determinar una enfermedad en una etapa temprana y tomar las medidas necesarias. No hay nada más reconfortante que ser cuidado por alguien que lo ama cuando está enfermo.

Vamos, déjame entretenerte

Ya no existe ninguna necesidad de hacer un esfuerzo para divertir, entretener o interactuar con sus hijos gracias a la multiplicidad de deleites basados en la pantalla que han reemplazado la necesidad de la interacción humana. Tal vez esté siendo un poco crítico, después de todo ¿qué tiene de malo *La hora de Tom y Jerry* en el canal Boomerang o dar rienda suelta a su frustración en una buena paliza jugando Play Station? La respuesta es "nada", siempre y cuando haya más en la vida. No puede apartarse del hecho de que la televisión, el computador o la consola los mantendrá entretenidos por horas, cuando necesita dejar un poco de trabajo hecho o tiene ganas de leer el periódico del domingo, pero este capítulo tiene que ver con los momentos que elige para apartarlos de todo eso. Interactuar con los niños es mostrarles que está realmente interesado en ellos y que su felicidad es lo que construye sus recuerdos y lo que lo hace grande ante sus ojos.

Mi padre era de una generación diferente, cuando este tipo de interacción no se esperaba, pero todavía puedo recordar cuando nos invitaba a compartir sus incursiones ocasionales en la cocina para realizar algún proyecto extraño. Dos cosas que puedo recordar particularmente eran la pasta y las papas crujientes. Sólo Dios sabe lo que lo poseía (era más bien como un empleado del Estado con los pies en la tierra) para decidir que iba a intentar su propia versión casera de estos productos, que incluso en esa época se encontraban disponibles en las tiendas, pero espero que puedan detectar, en mi escrito, el cariño que le tengo a esos recuerdos. A propósito, ambos proyectos fracasaron miserablemente, lo cual fue la mitad de la diversión.

Parte de ser un gran padre es darles a sus hijos suficientes experiencias de estas para recordar en el futuro y, aunque requiere de tiempo y esfuerzo, estas le proporcionarán además parte de su propia nostalgia en los años venideros. Espero vivir lo suficiente para ser capaz de sentarme un día domingo lluvioso en un café a la hora del almuerzo y oírlos decir, con alegría: "Recuerdas el día en que...".

Me estoy poniendo sentimental. Volvamos a las cosas prácticas. Podría escribir todo un libro acerca de las cosas que puede hacer para mantener a los niños entretenidos, pero para qué molestarme si ya se ha hecho anteriormente, cantidades de veces. De hecho, si no se le ocurre nada, algunos de ellos son bastante buenos, de manera que vale la pena ir a la biblioteca para ver qué encuentra. Ojo, son como las compilaciones en CD. Por cada gran canción, hay un "Agadoo" a la vuelta de la esquina que debe saltarse antes de llegar a la "La ronda de la piña" o "Moliendo café". Sin embargo, vale la pena que explore y busque algo que lo divierta y pueda mantener a los niños felices por un rato.

Como padres solteros en estos días, pienso que tenemos bastante suerte, simplemente porque existe una gran variedad de cosas por hacer, desde ir al cine con "sonido envolvente" hasta pistas de patinaje sobre hielo, bolos de diez pines, bares y restaurantes de ambiente familiar, museos interactivos y fabulosos parques temáticos. Lo que tienen en común, por supuesto, es que todos cuestan dinero, entonces usted no puede, o no debería, embarcarse en un programa que involucre todos estos eventos.

Aun si puede asumir el costo, no le recomiendo salir todos los días porque aumenta las expectativas de los niños hasta un punto que posiblemente con el tiempo no pueda sostener. El resultado es que ellos terminan siendo muy consentidos. Una vez conocí a una pareja que trabajaba tiempo completo y todos los fines de semana estaban repletos con este tipo de actividades; era un régimen estricto de diversión, con un sinfín de cosas para el entretenimiento y sin un solo momento para que los niños simplemente pudieran relajarse en el sofá. Lo triste era que tan pronto como llegaba la mañana del sábado, cuando nada había sido planeado, ellos esperaban cerca de un nanosegundo antes de exclamar: "¡Estamos aburridos!". Los niños nunca habían tenido que utilizar su imaginación puesto que Walt y Ronald junto con todo ese montón de distracciones comerciales, habían reemplazado la necesidad de hacerlo.

He hecho lo mejor para buscar cosas que resulten gratis o económicas, aunque reconozco que lo que nosotros hacemos puede que no se ajuste a sus intereses, de manera que he intentado delinear las formas en que pueda establecer su propia lista de actividades. Algunas familias son deportistas y les gustan las actividades al aire libre, otras son más cerebrales (piensan mucho), otras son frívolas y divertidas e incluso dentro de su propia unidad familiar puede encontrar diferentes tipos de personas que prefieran juegos diversos.

¡ENCUENTRE LA DIVERSIÓN!

Piense sobre los siguientes puntos como una manera de definir lo que podría ser mejor:

- ¿Qué le gusta? ¿Qué lo divierte?
- ¿Qué edades tienen sus hijos?
- ¿Qué los divierte de manera natural?
- ¿Cuándo fue la última vez que tuvo un gran día con ellos?
- ¿En dónde estaban?
- ¿Qué no han intentado hacer todavía?

Esta es una buena manera de comenzar a tener una idea de lo que los "sorprendería" a ellos.

Si alguna vez tuvieron un gran día en el parque, entonces la próxima vez que vayan, lleve una colección más grande de cosas para el aire libre como balones de diferentes tamaños, un bate, una cometa, un *frisbee* y si tiene algún sentido, uno de esos pájaros de viento que baten sus alas y vuelan. En un día soleado podría considerar dejar que sus hijos hagan lo que quieran.

Por otro lado, si a sus hijos les gustan las "artes y manualidades", guarde empaques como cajas de cartón, papel aluminio, papel higiénico y cartones para huevos. Antes de que lo sepa habrá construido ese cohete hacia la Luna o una corona y un collar incrustado de "diamantes".

Este tipo de actividades puede mantenerlos entretenidos más o menos hasta los doce años; después de esto habrán crecido lo suficiente y ya no lo necesitarán. Esta es la mayor razón para hacerlo mientras puede. Muy pronto no los habrá perdido para siempre, sino que el maquillaje o el juego de *paintball* será lo que les atraiga y este es sólo un paso del eterno entretenimiento de conquistar al sexo opuesto, algo en lo que ellos definitivamente no querrán dejarlo participar.

¿QUÉ HAY EN ELLO PARA MÍ?

Conozco muchos padres que encuentran la actividad infantil un poco, bueno, infantil. Probablemente hay tantos juegos de monopolio infantil que cualquiera de nosotros puede jugar, sin estar tentado a empezar a robar dinero del banco cada vez que pasamos por el Inicio. Sin embargo, hay grandes beneficios en este tipo de interacción intensa, ya que le da la oportunidad de comprometerse con sus hijos y de negociar con ellos. "LISTO, una ronda más de Buckaroo y luego el papá se va a sentar a leer el periódico por un rato". Lo siento, mala elección. Usted nunca puede cansarse de jugar Buckaroo pero espero que vea hacia dónde me dirijo.

Incluso puede descubrir que disfruta de este tipo de cosas, no por la recompensa intrínseca de jugar sino porque tiene una oportunidad de ver a sus hijos "en acción", conocer sus personalidades y tener la oportunidad de "enseñarles" todo tipo de cosas, desde contar y sumar hasta ser buenos perdedores. Mis propios hijos también lo ven como un gran ejercicio de unión, no tanto conmigo pero sí entre ellos, puesto que se confabulan contra mí para forzarme a la bancarrota, o cualquier otra cosa que el juego conlleve. Sin embargo no estoy seguro de que esto sea una buena lección, puesto que siempre soy yo quien tiene que ser el ¡buen perdedor!

DE UNO EN UNO

Si tiene más de un hijo, sabrá que tienen que compartir, incluso competir por su interés y no hay nada que les guste más que ser, por supuesto de manera temporal, el único centro de su atención. Por esta razón es una buena idea realizar una actividad en la que cada uno esté particularmente interesado, mientras que los otros la encuentran aburrida.

Intente encontrar la oportunidad para estar a solas con cada uno de ellos en diferentes momentos y satisfágalos en este pasatiempo compartido de manera significativa, sólo entre ustedes dos. Estas son las cosas que formarán sus recuerdos más especiales. Si tiene una relación razonable con la madre, puede recoger sólo a uno de ellos y pasar una tarde "haciendo su plan", siempre y cuando lo compense con todos sus otros hijos. Incluso si esto no es posible, puede encontrar actividades para mantener a los otros entretenidos (la televisión, si es necesario), mientras le entrega toda su atención al escogido.

ALGUNAS IDEAS BRILLANTES

No todas estas actividades son apropiadas para todas las edades, pero la mayoría de aquellas que realice tendrán un resultado en términos de aprendizaje. Los niños descubrirán la planeación, el trabajo en equipo, la estética, la solución de problemas y más, aunque la mayoría ¡simplemente los divertirán! A continuación tiene una lista de unas pocas cosas que podría intentar. Escoja las que sean apropiadas para usted, sus circunstancias y sus hijos.

HACER COSAS: ARTES Y MANUALIDADES

Esta es una categoría realmente grande y aquellos libros que observó en la biblioteca le serán útiles. Pintura, modelado en arcilla y papel maché son todos una gran diversión; sin embargo, es buena idea que cada uno de sus niños utilice una camiseta vieja antes de comenzar el juego.

Algunos niños tienen una imaginación espontánea y simplemente lograrán hacer sus propios animales de zoológico con arcilla, sin su ayuda o interferencia. Otros necesitarán un poco de ayuda para poder avanzar, de manera que esté listo para dar sugerencias. Normalmente me uno a ellos y hago mis propias cosas. Los resultados no son los que importan (de hecho, si usted es demasiado bueno comenzará a parecer como un padre competitivo) sino compartir la experiencia. Ofrezca ayuda cuando la necesiten pero no demasiada, yo prefiero tener una jirafa débil y temblorosa con las huellas de mi hija sobre ella, que un hermoso adorno elaborado para la repisa de la chimenea.

Una buena idea es escoger algo contemporáneo. Hace algunos años un pequeño fabricante (bendito sea) lanzó su propia versión del muñeco de moda, para realizar en casa utilizando la típica mezcla barata de cajas de cartón, vasos de yogur y recipientes de plástico, esto a un costo muy bajo. Los fabricantes del juguete original saltaban de rabia y cargaban con el *stock* de la versión autorizada (precio de venta al público recomendado: cien veces más que aquel).

Siempre digo que parte de la clave para la felicidad de sus hijos es manejar sus expectativas, de manera que necesita conversar con ellos sobre cómo se verán las cosas al final y necesita dedicar suficiente energía y preparación a priori para asegurarse de que puede lograrlo. No estaría bien crear su propio escenario de El Señor de los Anillos solamente para ver caer a todos sus orcos puesto que olvidó comprar la cinta pegante doble faz.

Preparar los alimentos

¿Qué hace Superman con todos los dedos de pescado que no quiere? La mayoría de nuestros alimentos ahora son tan procesados que hemos creado una generación que no conoce cómo eran las cosas en un comienzo, o qué procesos tuvo que pasar para convertirse en una comida para calentar y lista para servir (en este caso, un dedo de pescado). De nuevo anhelo los viejos tiempos, pues nunca me he sentado frente al televisor con un filete enlatado de Fray Bentos, un pastel de hígado y unas papas fritas para microondas.

Bueno, como en todo, existen cosas buenas y malas, pero no les hace ningún daño a los niños aprender sobre los alimentos en su estado natural, saber de dónde provienen (sí, antes de que lleguen a las estaciones de servicio) y cómo se convierten en algo rico y apetitoso. Creo que es buena idea abarcar tantas cosas como sea posible, tanto en términos de clases de alimentos (carne, pescado, vegetales, legumbres, etc.) como en los orígenes étnicos (hindú, chino, mexicano, etc.) Mi placer favorito es hornear, simplemente porque es un proceso en el que uno no se embadurna tanto y el resultado normalmente es dulce, de manera que los niños pueden disfrutar lo que han preparado.

Como ya dije, debe ser divertido y esto es muy divertido, pero a lo largo del camino puede sumergirse en el extraño mundo del conocimiento acerca de pesos y medidas, higiene de alimentos o alimentación saludable, simplemente no se vuelva demasiado sano.

JUEGOS

Los Buckaroos, Operaciones y Ratoneras del mundo son buenos para la destreza manual y proporcionan una introducción al pensamiento lógico, competitividad, perder y ganar, y también hacer trampa. Encontré un juego fantástico en una tienda de rebajas por un valor ínfimo, llamado "Estiremos a Sam". Sam es un mesero con un brazo extensible. Por turnos se apilan más platos sobre su bandeja, se oprime un botón y su brazo se eleva verticalmente, sección por sección, hasta que no se pueda balancear más y todo cae al piso rompiéndose. Es muy divertido, especialmente después de muchas cervezas suaves. Un día debo dejar que mis hijos lo jueguen...

Luego (esto es en rango de edad) están los juegos de mesa, en donde tengo que admitir que a mí me gusta hacer mucha trampa. Primero lo hago en favor de uno de mis hijos y luego del otro, pagándoles de más las multas que les debo, moviéndome sobre cuadros de castigos si me está yendo muy bien (como la cabeza de una culebra en Culebras y Escaleras) y generalmente mostrándome como un verdadero perdedor. De alguna manera, ellos encuentran esto muy divertido y después tendrán mucho tiempo en su vida para sufrir ante las manos del arrogante vencedor, por ahora déjelos ascender.

Deportes

Les confieso que siempre he querido ser mejor en los deportes pero es un área en la que no fui naturalmente dotado. Esto no me hace desconocer los grandes beneficios del deporte desde el punto de vista de la condición física, trabajo en equipo y diversión. Sus propios hijos podrán mostrar una preferencia por un solo deporte o incluso un género en particular como los de raqueta. Anímelos en todo lo que hagan para que intenten diferentes cosas hasta que encuentren sus preferencias, quizá no les guste ningún deporte.

Si escogen los juegos en equipo, también es una excelente manera para desarrollar un círculo social y es difícil encontrar la camaradería que se puede generar con un buen espíritu de equipo. Más que todo intento enfatizar que lo que cuenta es "formar parte" más que "ganar". Es fácil revelar la gloria ante la victoria pero es noble ser capaz de mantener la dignidad en la derrota. También pienso que es grandioso si aprenden a apreciar la diversión al esforzarse por sí mismos, en lugar de estropearlo al ser extremadamente competitivos.

Juegos de fantasía al aire libre

Estos son sólo una extensión de los deportes puesto que estoy hablando acerca del tipo de juego en el que se corre alrededor de algo como lunáticos, con algún objetivo en mente. Por alguna razón el Comité Olímpico Internacional hasta ahora ha pasado por alto a "vaqueros e indios", "James Bond y el diabólico Doctor de la Muerte" o "El monstruo alrededor del jardín" como deportes olímpicos, ¿por qué será?

Los niños muy pequeños adoran que se les gruña y persiga, puesto que desde una edad temprana entienden que cuando su padre está involucrado, esto es un juego seguro, un poco miedoso, pero seguro. Más adelante en la vida traducimos este tipo de diversión en los juegos de atracciones en los parques temáticos (por lo menos yo lo hice). Puede quedar sin aliento como si hubiera corrido una media maratón, además de tener un ataque de risa al final, descubrirá que ha ejercitado su imaginación así como sus pulmones.

En un buen día de verano puede forzar el "divertómetro" fuera de la escala añadiéndole agua. Una colección de globos de agua, una manguera y algunas pistolas de agua son difíciles de igualar para un día lleno de diversión, y deberían ser una actividad obligatoria para todos los adultos, por lo menos una vez al año.

Aire fresco

Ahora me estoy volviendo un poco radical. Simplemente pienso que es fácil pasar por alto todo lo que nos rodea. Salir a caminar o montar en bicicleta es gratis, o por lo menos muy económico (sólo tiene que comprar helados de regreso a casa), es saludable y una gran experiencia para compartir. Puede tener la suficiente suerte de vivir cerca de la playa o de algún bosque. Si no es así, hay una serie de parques locales a diferentes distancias que le brindan la oportunidad de compenetrarse con la naturaleza antes de retornar a casa para vegetar el resto de la tarde (con un poco menos de culpa que la normal).

Diversión patrocinada por el Estado

Si todavía no tiene el hábito de aprovechar las ventajas de las actividades educativas, culturales y de diversión ofrecidas por el Gobierno nacional o de su localidad, se las está perdiendo, especialmente si las están financiando con sus impuestos.

Bibliotecas, galerías de arte, museos, teatros y centros de arte son algunos de los lugares a los que puede llevar a los niños, gratis o por lo menos por un valor subsidiado. No se deje desanimar por el tono de seriedad de las actividades, ahora existe una mejor comprensión en todos estos lugares sobre cómo ofrecer servicios para las familias.

Por medio de Internet es muy fácil encontrar qué actividades ofrecen al público. Es buena idea afiliarse a la lista de correos para recibir todas las ofertas posibles, de manera que pueda planear sus actividades con anticipación.

ORGANICE UNA FIESTA

Es sorprendente ver qué tan rápido cambian las fiestas de los niños a medida que crecen y cómo la época de la torta y el helado pasan de largo. De hecho se hace mucho más fácil a medida que crecen y quieren hacer cosas de adultos como ir a jugar bolos o ir a un restaurante a comer. Si tiene hijos adolescentes hay algunas reglas no escritas sobre las fiestas. Lo primero que tiene que hacer es garantizarles diversión a todo dar. Si comienza a perder la atención en una habitación llena de niños de cinco años, se encontrará en un gran aprieto. Vale la pena contratar a un recreacionista (los magos y payasos funcionan bien), especialmente si consigue a alguien recomendado. Establezca el inicio y el fin de la fiesta y haga que dure un máximo de dos horas, incluyendo el tiempo para el "té". Hoy en día, las bolsas de refrigerios también son obligatorias y aunque yo me opongo a todo el concepto, algunas veces siento que vale la pena gastar algo de dinero para comprarles esa comida chatarra a los pequeños monstruos y darles gusto. Las fiestas temáticas pueden ser de gran diversión, los dinosaurios, lo submarino o lo espacial funcionan muy bien, pero necesita poner un poco más de su esfuerzo para mantener el tema consistente, y si puede introducir un elemento para controlar el desorden, todo será un éxito. Una vez hicimos una fiesta con el concepto de un regalo sorpresa dentro de un recipiente lleno de cosas, pero lo hicimos más divertido llenando un balde con un poco de juguetes plásticos en el fondo. Si no puede soportar la idea de ver su casa hecha un desastre, podrá encontrar una gran cantidad de lugares como el salón comunal en donde estarían felices de ser contratados, siempre y cuando uno se comprometa a limpiar después.

Como puede ver, de vez en cuando es bueno planear algo de diversión, y no todo tiene que ser costoso, sólo lleva tiempo decidir qué podrá hacer felices a sus hijos. Tampoco quiere decir que siempre tenga que irse a los extremos para crear un recuerdo; sencillamente puede convertir algo mundano en algo excitante si hace el esfuerzo. En días fríos cuando no teníamos ganas de hacer nada, en lugar de sólo estar vagando y viendo una película juntos, creábamos "la zona de video" cubriendo el piso con todos los colchones y almohadas que pudiéramos encontrar, y luego nos arrunchábamos juntos para ver nuestra película favorita, aprovisionados con las suficientes palomitas de maíz y chocolate.

Para la mayoría de nosotros, nuestras vidas están llenas de cosas por hacer, ya sea llevar el auto al taller, contestar correos urgentes, pagar las cuentas, cortar el pasto... y la lista continúa. De hecho siempre hay alguna buena razón para no hacer las cosas realmente importantes tanto para usted como para sus hijos. No se sienta culpable si el pasto está demasiado crecido, porque de hecho encontrará que está mucho más verde del lado de la cerca donde juega con sus hijos. Para usted el resultado será parecido a la sensación de regocijo que obtiene después de una sesión en el gimnasio, de donde sale sintiéndose virtuoso y en forma, y para los niños usted les está edificando una infancia feliz.

Si su inspiración aún está estancada, a continuación enumero mi lista de las diez mejores cosas divertidas fuera de moda que han divertido a los niños por generaciones y continuarán haciéndolo, siempre y cuando se comprometa a transmitirlas.

1. Construya un "teléfono" con dos latas y un pedazo de cuerda o pita.

2. Juegue a las escondidas en su casa o en el parque.

3. Vaya a caminar en el bosque, observe y maravíllese con todo lo que lo rodea, recoja hojas y piñas de pino. Si sus hijos tienen cualquier pregunta, busque en Internet o en la biblioteca y descubra con ellos algo de historia natural.

4. Juegue tres en línea, triqui o como se llame.

5. Visite un laberinto y piérdanse por un par de horas.

6. Alimente a las aves.

7. Mantenga una caja con disfraces de ropa vieja y accesorios; únase a los niños cuando las utilicen.

8. Haga zancos con dos latas atravesando un par de cuerdas largas como manijas a través de los orificios cerca de la parte superior.

9. Vaya a los columpios (en un momento tranquilo para que también pueda montarse en uno).

10. Compre una cometa y luego hágala volar.

III. LECCIONES

EDUQUE BIEN A SUS HIJOS

Existen muchas lecciones que podemos impartir a nuestros hijos, algunas informales y otras que están más asociadas con la estructura de su educación. Debido a que tengo menos contacto con mis dos hijos que el que ellos tienen con su madre, algunas veces tengo que hacer un mayor esfuerzo para enterarme de lo que está sucediendo en el colegio. En este capítulo presento una descripción de todas las etapas por las que tienen que pasar ellos durante su educación, pero antes enfatizo algunas áreas que pienso son de mayor importancia, en las cuales, si tiene la oportunidad, usted podría llegar a ayudarles.

LECTURA

Ya que a ellos les gusta copiar todo lo que hacemos, leerles a sus hijos desde una temprana edad los hace interesarse en los libros. Poco a poco y con frecuencia esto es mejor que atraer su atención por muchas horas. Puede que usted no sea un actor nato, pero si intenta hacer diferentes voces según los personajes, esto le ayudará a darle vida a la historia. Una vez presencié a un imitador profesional de voces que hacía su trabajo y descubrí que había hecho una cantidad de voces diferentes en una producción de Noddy de Enid Blyton en la BBC. ¿No le habría gustado ser su hijo? Cuando les fuera a leer las historias, el señor Plod se oiría exactamente como si él fuera el "verdadero" señor Plod. Aunque no esté dotado con este nivel de experiencia, exagerar los personajes y cambiar el sonido de su voz para mostrar peligro o misterio, o cualquier otro estado de ánimo, les hará disfrutar más y a usted también, si tiene alma de niño.

Los libros de cartón y los libros de baño probablemente son el primer encuentro de sus hijos con la lectura y pronto aprenderán el principio de pasar las hojas para saber qué sigue después. Nosotros tenemos un libro de baño con imágenes de animales, de manera que cada día realizamos la rutina de "¿qué sonido hace la vaca?", etc. Recuerdo que la última página tiene una imagen de una tortuga (claramente, el "autor" tenía un buen sentido del humor). Exactamente: ¿qué sonido hace una tortuga? Cuando pueden escoger, los niños normalmente se inclinan hacia un libro en particular y usted tendrá que leérselos una y otra vez. Una vez pude recitar la historia completa de *El pato Quac-Quac* de principio a fin, al dedillo, todo un recital. Aunque esto puede ser muy aburrido para usted, los niños disfrutan la familiaridad, especialmente cuando saben qué viene después. Unos amigos nuestros que han experimentado este fenómeno dicen que si se detienen a mitad del camino en una oración, su pequeño puede completarla. Lo hemos intentado y funciona, eso es lo que yo llamo un recital.

Solía pensar que nunca es demasiado pronto para ir a la biblioteca hasta que descubrí que la mayoría de estas, no abre sino hasta las nueve de la mañana. Sin embargo, me sorprendo constantemente con la habilidad de nuestra nación para suministrar este magnífico servicio de manera gratuita a todos sus ciudadanos. Claramente, usted tendrá una mayor variedad si va a una biblioteca grande; sin embargo, me he dado cuenta de que las bibliotecas locales "más pequeñas" son más agradables para los niños. Primero, los niños no se impresionan por la gran cantidad de libros en el mostrador y, segundo, ellos tienden a estar un poco más relajados. Normalmente, cuando visitamos nuestra biblioteca local, somos los únicos que estamos allí (con excepción del bibliotecario, obviamente), de manera que pueden ojear los libros sin que los estén callando todo el tiempo. Si les da en la vena del gusto, por ejemplo con la colección de los *Cinco famosos*, ellos pasarán varias horas divertidas mientras usted les lee, y la próxima vez que visiten la biblioteca buscarán rápidamente un nuevo libro. Una vez los personajes les sean familiares, ellos no podrán esperar el momento de saber qué les sucede en la próxima aventura. Mantenga sus ojos bien abiertos y podrá encontrar maravillosas adaptaciones para niños de los clásicos de la literatura. Nuestro favorito es *Los miserables* de Víctor Hugo, no porque sea especialmente intelectual sino porque hace que la historia sea más comprensible para personas como yo, que tenemos una habilidad limitada para seguir un argumento.

SUMAS

No creo que pueda recordar lo suficiente de mis días de colegio como para poder enseñarles a mis hijos ni siquiera matemáticas básicas, y de todas maneras todo ha cambiado, pues algunos directores con influencias europeas pretenden que contemos en números romanos y que clasifiquemos nuestros alimentos según el sistema binario. Aun antes de llegar a la etapa de "enseñar" formalmente a sus hijos cualquier tema de matemáticas, usted puede ayudarles de forma significativa haciéndolos entender los números y las secuencias con cosas de la vida diaria como ¡contar sus botones a medida que se los apunta o contar bolitas de chocolate a medida que se las comen! Sin embargo, y este es un gran "sin embargo", existe un tema fundamental de la aritmética que ningún padre responsable debe ignorar: las tablas de multiplicar. Si no dominamos las bases de las matemáticas, se puede olvidar del resto.

En el colegio solíamos repetir las tablas de multiplicar para aprendérnolas de memoria y mi mayor consuelo es que nadie se ha inventado una mejor manera de hacerlo. Una buena tienda de discos tendrá bastantes discos compactos que enseñan las tablas de multiplicar con música, de manera que aunque no le gusten póngalos en el equipo de sonido de su automóvil, y asegúrese de subir el volumen para no oír los "¿Ya casi llegamos?"; muchos de estos juegos tienen ritmos infantiles pero para niños más grandes hay versiones más modernas con tambores y bajos como acompañamiento (llamados "Beat it"), que además incluyen algunas bases útiles del inglés, como "there" y "their".

Algunas veces intento ayudarles a mis hijos con sus tareas de matemáticas, pero hasta ahora no me he encontrado con mis terrores de las matemáticas cuando era joven como el teorema de Pitágoras. Temo que esto sucede en parte porque realmente no puedo recordar cómo funciona, pero además porque si me preguntan de qué diablos me ha servido, estaría en grandes aprietos para responder. Los obsesivos por las matemáticas probablemente buscarían lápiz y papel para explicar su relevancia en el mundo moderno, pero que se ahorren la molestia porque, francamente, no me importa.

TIC

Hago una mención especial de la TIC (Tecnología de la Información y Comunicación) por la sola razón de que es muy importante en nuestra vida diaria y hará parte en las vidas de las siguientes generaciones. Hace tiempo esta era conocida como la simple y aburrida TI (Tecnología de la Información), pero ha hecho un giro porque ahora refleja no sólo la computación sino también Internet y la grabación de video y sonido. La gran palabra aquí es "convergencia", puesto que esto es lo que está haciendo la tecnología. En el futuro, las personas no pensarán en distintos aparatos que realizan diferentes funciones, habrá (y ya los hay) aparatos que tal vez juntan toda la tecnología en una sola plataforma para que realicen cosas varias como comunicarse por medio de voz, texto o correo electrónico, observar secuencias de video, acceder a la información y tomar fotografías. Puedo ilustrar mucho mejor la diferencia sobre la actitud ante la tecnología con la historia de un productor de televisión que conocí y que hizo un programa piloto sobre la navegación por Internet. Como comprenderá, esto fue en los primeros años de Internet, y ellos pensaron que podía ser interesante observar a alguien navegar tranquilamente de un sitio a otro para calmar su ansiedad de información y entretenimiento. Cuando el programa estaba listo y antes de que fuera transmitido, él se lo mostró a su hijo de diez años que bostezó los primeros cinco minutos, luego le dijo: "Papá, tú piensas que esto es *tecnología*, pero para mí simplemente es la *vida*".

TIEMPO

Una de las cosas divertidas que les puede enseñar a sus hijos es cómo decir las horas. Es un conocimiento esencial de la vida y podría recompensarlos comprándoles un reloj (difícilmente un artículo muy costoso en estos días). Existen muchas formas de hacerlo y le puede comprar un reloj de cartón con manecillas en cualquier tienda de juguetes, si ese es el método que ha escogido. De la misma forma como les enseñó el tiempo análogo, también debería extender las lecciones para cubrir el reloj digital, puesto que la mayoría de los relojes de hoy en día son así y disponen la hora en el formato de 24 horas, pero intente separar las etapas para evitar confusiones. Para que esto sea más divertido puede hacer preguntas relacionadas con las horas como "¿ya es hora de ir al parque?" o "¿es hora de comer algunos dulces?". Luego haga que le digan qué hora es antes de continuar.

EL VIAJE DE APRENDIZAJE

PREESCOLAR

El aprendizaje en casa puede y debe comenzar desde el día en que su hijo nace, pero antes de que se dé cuenta ya estará integrado en el sistema educativo que varía de acuerdo con el lugar donde usted se encuentre. A continuación describo en términos generales el sistema general. Si está buscando mayor información sobre cómo funciona el sistema en su área, la biblioteca local podrá indicarle la dirección correcta, o puede buscar en línea el ente gubernamental relevante. El Ministerio de Educación y la Secretaría de Educación Distrital han llevado a cabo una gran labor al respecto.

Muchos de los niños en la etapa preescolar asisten a alguna clase de guardería o jardín infantil, y fuera de darles a sus padres un descanso, esta es una buena manera de que se vayan acostumbrando al hecho de que estarán algún tiempo lejos de usted. También es una presentación temprana a otros niños de su misma edad, de manera que pueden comenzar a aprender cómo socializar y, a diferencia de lo que sucede en casa, aprenderán que "no siempre pueden tener lo que quieren".

Con niños muy pequeños es mejor hacer énfasis en la diversión cuando están aprendiendo. De esa manera esto no se convierte en una tarea para nadie. Cuando cuentan con alrededor de cuatro o cinco años, los niños tienen su primera experiencia escolar, y algunas veces esto es más fácil si en un principio los niños asisten al colegio sólo medio día (siempre he pensado que esto también sería una buena idea para los adultos en el trabajo, una jornada laboral completa para mí es *demasiado* agotadora). Normalmente, el tamaño de las clases está limitado a treinta niños y en muchas clases los profesores tienen asistentes, puesto que es muy difícil mantener la atención de los pequeños.

PRIMARIA

Después de esta etapa (de cinco a siete años) su hijo estará en la etapa uno y estos primeros años son críticos en su aprendizaje, por la sola razón de que su capacidad para absorber nuevos conocimientos nunca será mayor. Además del tiempo que pasan ellos en el colegio, usted también puede convertir todo en una experiencia de aprendizaje, desde visitar el supermercado hasta hacer un paseo por el parque. Sea consciente del riesgo de hacer su vida insoportable al estar intentando enseñarles algo y hacer demasiadas preguntas acerca de su entorno para incentivar su curiosidad *natural*.

En el segundo año los niños están entre siete y ocho años y tendrán que enfrentar sus primeros exámenes como parte de la etapa. Algunas personas piensan que esto es demasiado pronto, pero por lo menos los niños se acostumbran a la idea. El objetivo de los exámenes no es desarrollar los sentimientos de pasar o perder, pero sí de darles a los profesores una oportunidad de descubrir las diferentes fortalezas y debilidades de los niños a su cargo para que puedan adaptar sus métodos como convenga. Por esto, parte del procedimiento incluye la valoración de los profesores en inglés, español, matemáticas y ciencias. Los exámenes de lectura, escritura, ortografía y matemáticas se llevan a cabo, normalmente, en diferentes días, y no pueden durar más de tres horas.

Aunque no tenga el contacto diario suficiente para conocer los detalles de lo que sus hijos están aprendiendo, intente mantener su interés preguntándoles y hablándoles acerca de los temas que están cubriendo en el colegio. Elógielos por sus logros y ayúdelos a aceptar sus "defectos" diciéndoles que todos somos buenos y malos en diferentes cosas. Si hace esto, pronto podrá hacerse una idea de dónde pueden necesitar mayor apoyo a medida que su educación se desarrolla. Incluso para los niños pequeños es fácil preocuparse por los exámenes, de manera que intente hacerles ver su importancia y motívelos para que simplemente den lo mejor de sí; entre menos alboroto haga, menor será su problema. Después de los exámenes, el colegio le entregará un reporte que le dice cómo le fue al niño en estos. Esté pendiente de las reuniones escolares, puesto que quien tendrá más información al respecto será la madre.

No se sorprenda al saber que habrá más exámenes en este período. Estos ayudan a los profesores en el continuo proceso de adaptar su estilo, les da a los niños el sentimiento de estar logrando algo y suministra al Gobierno información de cuántos niños logran el estándar esperado, con el fin de realizar los informes sobre las políticas nacionales de educación.

En este momento los niños han llegado a la etapa en la que tendrán que realizar tareas completas de manera regular y es mejor si usted puede evitar que esto se convierta en una tarea difícil o en un campo de batalla. Si ellos tienen que hacer tareas cuando están con usted, asegúrese de brindarles un espacio adecuado para que puedan trabajar, mantenga un equilibrio "al dejarlos hacerla" pero esté dispuesto a ayudarles si encuentran obstáculos, y haga que no parezca que las demás personas en la casa se divierten viendo televisión o jugando, mientras a ellos "los castigan" con trabajo.

Usted también puede investigar las diferentes fuentes que ayudarán a que el aprendizaje de su hijo sea divertido. Además de las bibliotecas, existen los puestos de revistas locales en donde puede encontrar revistas educativas y divertidas. La serie de las *Historias macabras* es un caso específico en el que hechos significativos de nuestro pasado tienen una especie de giro sangriento (incluyendo decapitaciones y detalles escabrosos de la plaga) que tienen una gran acogida, especialmente entre los niños de ciertas edades (de hecho, cualquier edad).

Una vez más, mantenga el interés a lo largo de este proceso y estimule sus esfuerzos. Si tiene alguna preocupación sobre su habilidad o desarrollo en un tema en particular, discuta el tema con la madre o llame al colegio y pida una cita con la profesora, de manera que puedan ver las diferentes posibilidades de ayuda.

SECUNDARIA

Cuando los niños pasan a la secundaria o bachillerato, normalmente a la edad de once años, enfrentarán un nuevo reto. Esto puede ser una perspectiva desalentadora puesto que pasan de ser los niños más grandes y más seguros de sí mismos, a ser, de la noche la mañana, los niños más pequeños y vulnerables. Usted puede hacerles más fácil esa transición, así fortalece su confianza y los anima a hablar acerca de los aspectos buenos y malos de su nueva experiencia. Asegúrese de no preguntar únicamente sobre lo que están aprendiendo, también muestre interés en los aspectos sociales importantes del cambio. Si cambian de colegio y se encuentran con amigos del colegio anterior, entonces esto ayudará a facilitarles su ingreso, ya que tienen alguien con quien hablar y compartir sus experiencias desde el primer día, pero no se preocupe si este no es su caso, puesto que tienden a hacer amigos bastante rápido. Pregúnteles con quién andan y escuche detenidamente sus respuestas. Siempre se sorprenderán si usted recuerda quién es quién y si unas semanas después les pregunta cómo están José, Pedro o Catalina.

LOGÍSTICA ESCOLAR

Si tiene la suficiente suerte de tener a sus niños durante parte de la semana, asegúrese de tener una rutina que funcione. Es buena idea hacer que tengan todo listo la noche anterior, de manera que no se encuentren en una carrera estresante a la hora del desayuno. Cuanto más pronto pueda lograr que comiencen a tomar alguna responsabilidad acerca de esto, mejor. No sólo hará que las cosas sean más fáciles para usted, sino que también es una muy buena lección de vida. No deje que salgan de casa sin desayunar y asegúrese de que el desayuno sea saludable y balanceado. Muchos de los problemas que los profesores encuentran en estudiantes que no ponen atención en las primeras horas de la mañana se debe al hecho de que tienen hambre y/o están deshidratados.

En el momento que llegan a la secundaria, los niños deben asumir la responsabilidad de llevar todo lo que necesitan para las clases, pero puede ayudarles si tiene a mano una copia de su horario de clases y la chequea con ellos mientras alistan sus cosas (recuerde, la noche anterior) para asegurarse de que llevan sus implementos de natación o equipo deportivo.

Normalmente, la correspondencia importante del colegio es enviada con los niños en su maleta (lo que ahorra el costo del correo), por lo tanto, incúlqueles el hábito de revisar si tienen algún "correo" para usted, de lo contrario no se enterará de algunos paseos y otra información primordial. Con suerte, tendrá una relación lo suficientemente civilizada para ser capaz de compartir esto con su madre pero si aún tiene "ganas de matarla", contacte a la oficina del colegio y solicíteles que le envíen una copia de cualquier noticia importante.

Puede ocurrir que a esta edad los niños tengan que pasar algún tiempo "a solas en casa" al final del día, especialmente si usted trabaja tiempo completo. Por lo tanto, establezca algunas reglas de seguridad como cerrar las puertas cuando entran y no contestar el teléfono (puede establecer un código, como dejar timbrar tres veces, colgar y llamar de nuevo si necesita comunicarse con ellos). También es importante que sepan cómo comunicarse con usted (a su teléfono móvil o a la oficina), cuándo y cómo llamar a los servicios de emergencia y, en lo posible, tener un acuerdo con algún vecino para que pueda ayudarles.

A mediados del año escolar, tendrán otra ronda de exámenes más exhaustivos que los anteriores, pero una vez más, divididos según la materia y que durarán alrededor de cinco horas. Como en las ocasiones anteriores usted recibirá el reporte de la valoración que hagan los profesores sobre el progreso de su hijo.

Espero que esto haya llenado algunos de los vacíos de la estructura en la educación de sus hijos.

El ambiente escolar es excelente para la parte formal de la educación y el currículum nacional apoya el aprendizaje a través de temas clave que capacitan a los niños para la vida laboral así como para ayudar a definir sus preferencias. A su vez estos rigen la decisión de ser doctores o diseñadores profesionales.

También es cierto que la vida escolar les enseña mucho más a los niños, por ejemplo los conocimientos esenciales de la vida con respecto a las relaciones y la interacción humana. Mantenga su interés en esto y podrá aportarles algo que complemente su aprendizaje diario y que les ayudará a formarse como individuos seguros de sí mismos, bien rodeados y felices.

LA VIDA ES DURA
Y DESPUÉS NOS MORIMOS

Ya sé que voy a escribir en este capítulo; está en un borrador cerca de mí y no quiero ni verlo. He hecho una lista de siete lecciones difíciles de vida y no me hace feliz leerlas, de manera que todo lo que puedo hacer es ofrecerles disculpas de antemano y hacerles saber que sólo intento terminar con una nota de optimismo, aférrese a ella. Usted puede saltarse este capítulo y pasar al siguiente, pero eso sería como hacer trampa y dar a entender que sus hijos seguirán por la vida haciendo lo mismo sin afrontar los momentos difíciles. Simplemente no es algo muy realista.

LECCIÓN 1: IMPARCIALIDAD

¿Puede recordar las primeras palabras de su bebé? ¿Por casualidad estas no fueron "¡no es justo!"? Bueno, si no, apuesto que no esperaron demasiado tiempo para pronunciar esta frase, a la que usted tuvo una respuesta simple y automática, lo que la convirtió en un estándar del "juego de herramientas" de los padres: "Sí, pero la vida no es justa", porque por supuesto que no lo es. Cuando el otro equipo mete un gol en el momento en que sucede una lesión, ¿es justo? Y cuando tu hermano pequeño recibe un pedazo de torta de cumpleaños más grande, ¿dónde está la imparcialidad? Muchas de las leyes de nuestro país intentan encontrar una base en la paridad para volver a encauzar el equilibrio. Observe la discriminación en el lugar de trabajo; los veredictos en los juicios de los tribunales se deciden con base en un individuo, se trata a un individuo en circunstancias similares a otro. De igual manera, la mayoría de quejas sobre los jefes se basan en que ellos parecen tener un favorito, un preferido, alguien que recibe tratamiento preferencial sobre los demás, y cuando estamos creciendo es demasiado fácil ver cómo nuestro hermano(a) recibe un mejor trato que nosotros.

En algunas familias básicamente este es el caso. Desde afuera se puede ver cómo el primer hijo o el más pequeño es capaz de salirse con la suya, mientras que los otros reciben correazos, pero bajo la mayoría de circunstancias existe la duda de si esto es intencional.

Inevitablemente, debido a que los niños son diferentes, los tratamos de manera diferente, pero desde ahora estoy resuelto a intentar darles el mismo gusto, ponerles la misma atención y darles un pedazo de torta del mismo tamaño.

Tristemente, para el niño en cuestión no hace ninguna diferencia si usted continuamente utiliza la frase "la vida no es justa", por lo tanto, mientras sea posible, vale la pena intentar explicar por qué, aparentemente, ha dado un tratamiento diferente a cada uno de ellos. También es importante tener algún cálculo aproximado en su mente que le diga quién ha obtenido qué y por qué, ya que aunque usted no esté llevando un puntaje, puede apostar ¡que sus hijos sí lo están haciendo!

Fuera de casa, en donde se tiene menor control (en el jardín infantil, por ejemplo), la injusticia de la vida es mucho más difícil de equilibrar, por lo tanto si los niños llegan a casa con alguna historia trágica que ha hecho que ellos se depriman, lo mejor que usted puede hacer es conmoverse e intentar explicarles que por lo general las cosas se equilibran y cuando no es así, simplemente deben lidiar con eso.

LECCIÓN 2: TODOS ME PERSIGUEN

La paranoia de verdad es una condición médica muy miedosa y bien definida, pero existen momentos en los que todos sentimos como si el mundo estuviera conspirando contra nosotros. En el momento en el que llegamos a la edad adulta, probablemente hayamos sido víctimas de dichos sentimientos en algún momento. Importa muy poco si es real o percibida, la incomodidad es la misma y algunas veces sólo cuando miramos hacia atrás podemos ver *objetivamente* qué era lo que sucedía. Algunas veces he llegado a ser redundante y puedo recordar en el transcurso de las cosas que me han sucedido y que me han hecho sentir incómodo, pero una vez comienzo a andar por ese camino, una terrible espiral me puede absorber y llevar bajo la superficie hasta que comienzo a creer que incluso mis amigos están contra mí.

He notado que las alianzas de mis hijos con sus amigos se construyen y se rompen con más frecuencia del lado femenino de la familia: siempre caen en el chisme y todos los demás se dividen en un campo de dos partidos. Lo que me encanta de este comportamiento es que la próxima vez que les haga una pregunta sobre quién le habla a quién, la respuesta es completamente diferente según la línea de batalla trazada en una configuración completamente nueva. Los niños parecen ser mucho más capaces de aferrarse a los mismos amigos por más tiempo. Aunque no aplaudo esto, reconozco que esto sucede debido a su apatía natural. Básicamente, no pueden darse el lujo de pelearse, pues el esfuerzo de la reconciliación es demasiado grande.

Por supuesto, es mucho más doloroso cuando otros se confabulan contra nosotros y si alguna vez lo encaran con un "*y tú también, Bruto, hijo mío*", ayuda mucho tener un plan B. Esto no es fácil cuando todos nuestros aliados más cercanos parecen habernos traicionado, pero es una buena lección para desarrollar confianza en nosotros. De manera que cuando las paredes se empiecen a derrumbar usted permanezca de pie en medio de los escombros, aunque un poco maltrecho y con moretones.

LECCIÓN 3: CODICIA, AVARICIA Y OTROS VICIOS

Ya he pasado por el tipo de comportamientos que debería tener en cuenta para ser un modelo para sus hijos, con el ánimo de que crezcan como unos buenos ciudadanos e individuos felices. Lo que me sigue sorprendiendo sobre la vida es que no todos siguen ese camino, porque al parecer existen algunas personas en el mundo que muestran con claridad defectos desagradables. Probablemente no tiene ningún sentido especular por qué sucede, es suficiente decir que su progenie está destinada a conocer individuos con una menor perspectiva del mundo que la suya. Podría detenerse y señalar que a pesar de toda la mezquindad de espíritu, la tacañería con el dinero y el egoísmo, esas personas no son por ello más felices, aunque en ocasiones sea difícil probarlo, especialmente cuando están conduciendo sus Lamborghini. En una situación como esta solamente podemos mirar hacia adentro de nosotros mismos y preguntarnos si seríamos mucho más felices si nos comportáramos como ellos. Usted puede estar resuelto a aferrarse a la opinión de que la riqueza está en nuestro interior y que esta es mucho más valiosa que las adquisiciones materiales, pero la lección más difícil de aprender es la que nos encara a la envidia que ocasionalmente todos sentimos. Aunque yo no soy religioso, puedo ver claramente el beneficio de la fe, si esta nos ayuda a comprender el hecho de que otros tienen más que nosotros, sólo porque estaban preparados para aprovechar la ocasión.

LECCIÓN 4: EL AMOR
NO ES SIEMPRE NI PARA SIEMPRE

Es muy triste y cómo me gustaría que no fuera así. Es peligroso y cruel anular el idealismo de otro ser humano, sobre todo cuando se trata de sus propios hijos, sólo porque las experiencias que usted ha tenido lo han convertido en un cínico. Sin embargo, en la situación en la que nos encontramos, no es difícil probar que las personas sienten amor, pues puedo presumir que alguna vez ha tenido ese gran sentimiento por su madre. A pesar de toda la tristeza que causa la pérdida del amor, soy optimista sobre todo lo que implica tener la capacidad de amar a otro ser humano y creo que nunca se nos va a acabar el amor, que deberíamos ofrecerlo libremente, aunque no podamos esperar nada a cambio, y que existen muchos tipos de amor (aunque sólo existe una sola palabra para ello, algo más bien frustrante en mi opinión).

La pérdida del amor no significa que la vida se haya acabado, aunque por un tiempo se sienta terrible. Cómo me gustaría poder expresarles esto adecuadamente a mis hijos sin que tengan que descubrirlo por sí mismos. Tal vez, en el futuro, alguien desarrolle una versión de esto en realidad virtual, de manera que podamos experimentar el sentimiento temporalmente sin nunca tener que pasar por ello en la vida real. Es cierto, ahora simplemente estoy siendo estúpido.

LECCIÓN 5: LOS TRAMPOSOS ALGUNAS VECES PROSPERAN

De alguna manera regresamos al "no es justo" que sucede en variadas ocasiones. Cuando oímos sobre algún escándalo corporativo en donde el contador jefe ha sido destituido por malversar millones de dólares de las arcas de la compañía, no podemos evitar preguntarnos si hay otros que hacen lo mismo y se salen con la suya. Esto es como un crimen no resuelto: sabemos que existe, por lo tanto hay alguien en algún lugar que sale impune.

Todo esto aumenta la tentación de permitir un engaño oportuno en nuestro beneficio, pero a final de cuentas todos tenemos que ser capaces de vivir con nosotros mismos, aunque nunca me sentiré orgulloso de haber ganado haciendo trampa.

La otra cosa condenable de hacer trampa es que para hacerlo no hay reglas claras. Por ejemplo en el mundo del fútbol, una falta grave que comete un jugador del otro equipo es recibida con desdén, pero la misma ofensa efectuada por un miembro de su equipo es vista nada más como un "fuerte y robusto desafío". De manera similar, pasamos por alto otros delitos menores frente a nuestros hijos con eufemismos como "es una mentira piadosa". Tal vez este sea sólo un aspecto de nuestra supervivencia.

LECCIÓN 6: EL AMOR AL DINERO ES LA RAÍZ DE TODA MALDAD

Algunos de los tramposos ya mencionados harán lo que sea para incrementar su riqueza y el dinero tiene una manera de transformar a las personas. Aquí menciono especialmente a los estafadores (¿por qué siempre hombres?, no es políticamente correcto, es sospechoso e impreciso). Cuando era niño, fui a una feria con mi hermano y un escurridizo carterista nos robó un poco de nuestro dinero, nosotros nos dimos cuenta mucho después de que hubiera sucedido, por lo que no pudimos hacer nada (también debo señalar que era considerablemente más grande que nosotros, pienso que no hubiéramos tenido una pelea justa). Realmente me sentí deprimido y el hecho de que pueda recordar los detalles, incluso ahora, dice algo sobre los efectos remanentes que esto tuvo en mí. Pienso que no es una mala lección para impartir lo que dice el cliché más común en los círculos de consumo: "Es demasiado bueno para ser cierto".

El dinero también puede interponerse entre los mejores amigos y me atrevería a pensar que esto mismo puede suceder entre una pareja de casados. Algunas veces, aunque no siempre, esto no tiene nada qué ver con la cantidad de dinero sino con el principio en sí. Por supuesto, en otras ocasiones podría decir: "Al diablo el principio, muéstreme el dinero".

Aun sin la ayuda de nuestra ex pareja, cada vez parecemos estar más listos y capaces para meternos en dificultades monetarias. Con seguridad, si la compañía de la tarjeta de crédito que utilizo supiera realmente qué tan frágiles son mis ingresos mes a mes, no me continuarían ofreciendo tanta cantidad de dinero para gastar, o tal vez lo harían. Después de todo, siempre pueden quitarme mi casa, probablemente a mis hijos también, si me tomara la molestia de leer la letra menuda al final del contrato.

Lección 7: los amigos te pueden defraudar

Por mis lecciones anteriores y por el hilo conductor en el resto del texto, puede parecer que intento hacer más énfasis en mis relaciones que en mi relativa riqueza. Es cierto, pero el problema de cualquier inversión (incluidas las emocionales) es que pueden generar tanto ganancias como pérdidas y no hay nada más frustrante que una amistad que no esté funcionando. Algunas veces pienso que es mi propia falta, pues espero demasiado de las otras personas, pero he hecho grandes esfuerzos en los últimos años para perdonar más y no espero recibir lo que he querido dar. Lamento que aquí suene como si lo estuviera haciendo, pero no es cierto. Tengo amigos muy generosos a quienes puedo llamar en cualquier momento si estoy en crisis. De esa manera, por lo menos, me siento bendecido.

De todas maneras, hay momentos en que veo a mis hijos haciendo todo el esfuerzo sin recibir nada a cambio y siempre me siento muy triste de que tengan que aprender esta lección de la manera más dura.

Yo sé que lo que he dicho ha sido más bien deprimente y prometí una nota de optimismo al final, de manera que aquí la tienen: hay dos estados que gobiernan nuestras vidas, las cosas que nos pasan a nosotros y la manera como las percibimos. Pienso que podemos hacer muy poco para cambiar lo primero, pero nuestra *actitud* es uno de nuestros grandes dones. En principio, nuestras actitudes ante la vida están en nuestra mente. De hecho allí es donde permanezco la mayor parte de mi vida pues esta es cálida y acogedora y allí encuentro que es fácil ser feliz.

Estoy muy lejos de ser la persona menos cínica sobre el planeta, pero intento observarme a mí mismo de vez en cuando, especialmente cuando enfrenté la inocencia de la juventud. Todos nosotros intentamos encontrar el equilibrio correcto entre el tipo de ingenuidad que nos lleva a cometer los mismos errores una y otra vez, y la versión endurecida de nosotros mismos que puede hacer que nuestra propia vida sea aún más desdichada.

Vamos, no es tan malo.

Sexo, drogas y rock and roll

El título es una forma genérica de hacer referencia a las cosas de los adultos, que los bebés nacen sin saber (cosa de suerte). Yo, junto con las personas de mi edad, lamento ver pasar lo que se conoce como la edad de la inocencia, en la que los niños podían pasar mucho tiempo de sus vidas siendo niños, antes de estar expuestos a los vicios de los adultos. No puedo cambiar las cosas ahora, de manera que es mejor adaptarse a ellas y encontrar la mejor forma de lidiar con cada asunto para que los niños estén bien preparados para enfrentar lo que está por venir.

Cada uno de nosotros tiene su propia moral, un sentido de lo bueno y lo malo. Puede que usted no esté de acuerdo conmigo sobre dónde establecer los límites, pero espero que los principios que aplico le suenen coherentes y los pueda adaptar para que encajen con su personalidad. Comenzaremos con el sexo, no puedo pensar en algo mejor.

La honestidad es la mejor política

Cuando estaba descubriendo el sexo, a mis compañeros y a mí nos llegaron muchos rumores e información errada al respecto. Tuve suerte en distintos aspectos porque nuestro colegio tenía un nivel de educación lo suficientemente bueno como para tener un especialista en educación sexual que nos dijera de dónde venían los bebés. Pero él no pudo evitar que se siguieran regando chismes, muchos de ellos inútiles. Durante muchas semanas, todos los niños de mi clase creímos que cuando una niña tenía la regla ¡ella sangraba por los senos! Sólo poco después descubrimos la verdad, era por el ombligo.

Igualmente, para mí nunca fue claro lo que les decían a los niños acerca de una cigüeña trayendo a un bebé recién nacido o que este se podía encontrar debajo de un grosellero silvestre. ¿Realmente se sentían tan avergonzados del hecho de que un bebé fuera el resultado de hacer el amor? y, de ser así, ¿qué tipo de mensaje transmite esto a los niños sobre lo hermoso y poético de una relación sexual entre dos personas cuando se convierten en una, o lo divertido que puede llegar a ser tener relaciones sexuales?

Por todo esto puede asumir que pienso que debería decirles la verdad a sus hijos, sin importar qué tan jóvenes sean cuando hagan la pregunta. Si creemos que la honestidad es la mejor política y luego invertimos años para enseñarles a nuestros hijos a no decir mentiras, ¿por qué los engañamos con esos temas tan importantes? Si lo estuviera viendo a través de los ojos de un niño, tal vez llegaría a la conclusión de que la vida adulta tiene algo siniestro, por eso ellos intentan ocultárselo todo el tiempo.

La curiosidad innata se manifiesta en la edad de los "por qué": "Papá, por qué el cielo es azul, por qué las vacas hacen muuu, por qué tu pipí tiene esa forma". No hay ninguna diferencia en el *peso* de estas preguntas, son igualmente desconcertantes para las mentes inquietas, ellos no se sientan y piensan: "Ah, le daré una falsa sensación de seguridad con las preguntas del cielo y la vaca, y luego, cuando baje la guardia lo sorprenderé con su pipí".

Si cambia el peso de la respuesta y le da a su hijo evidencia científica para apoyarla y elude otra, él se dará cuenta en un instante. Honestamente, preferiría estar en la posición de decirle la verdad a mi hijo antes de la pubertad, que tener que explicarle las funciones a un adolescente que ya ha comenzado a funcionar. Yo aplico las mismas reglas de honestidad para hablar de todos los temas adultos, mucho más cuando me preguntan sobre estos, pero a veces de manera más proactiva como cuando hay una noticia que me obliga a ello, por ejemplo, que una estrella de rock muere por sobredosis.

Las notas que siguen no son un manual de instrucciones. Usted no tiene que dedicar un momento especial todas las mañanas de los sábados para dar "lecciones sobre cómo ser un adulto", pero es aconsejable que usted les dé a sus hijos esta información en los momentos apropiados a través de los años.

El sexo, hacer bebés y divertirse

Los niños necesitan saber cómo fueron hechos con explicaciones básicas de biología y, cuando llegue el momento, cómo pueden hacer ellos para tener un bebé. Si este tema no surge en algún momento de una conversación, aún puede encontrar el momento adecuado para hablar de ello si siente que debe hacerlo. La educación sexual en los colegios es mucho mejor ahora que lo que solía ser, de manera que antes de que su hijo tenga la edad para comenzar dicha actividad, por lo menos deberá saber cuáles son sus consecuencias.

Con los niños, algunas veces es difícil encontrar los términos adecuados. Existe un gracioso juego de Willy Russel llamado "Breezeblock Park" que ilustra este punto muy bien. La madre que está en "ascenso en la escala social" le enseñó a su hijo los términos anatómicos de la manera correcta como el "pene" y la "vagina", pero de manera secreta, el padre, con los pies en la tierra, le enseñó versiones coloquiales como "tirar". Pensando que esto es algo que el niño aprendió en el jardín infantil, la madre se horroriza, pero precisamente el lenguaje de las calles que su padre le enseñó es más aterrizado y honesto, y evita que sus hijos sean motivo de burla. Probablemente la mayoría de nosotros puede encontrar un punto intermedio. En todas las familias existe un apodo para esas "partes", algunos de ellos universales, otros idiosincrásicos, pero sea como llamen a su aparato entre ustedes, esta es la mejor manera de impartir la información acerca del sexo. Sólo lo hace más normal y aceptable.

Pienso que es una lástima que la educación sexual parezca enfocarse en la parte funcional más que en la parte divertida. No tiene sentido suponer que los adolescentes en desarrollo no lo descubrirán por sí mismos cuando aparezcan las primeras sensaciones sexuales. Entonces ¿por qué no darles a entender que en eso de hacer bebés, los adultos juegan desnudos sólo para pasarla bien? Esto no es una licencia para ser promiscuos si se maneja de manera apropiada y se equilibra con la realidad de lo que el sexo casual puede dar como resultado.

Una vez se haya establecido que el sexo casual puede conducir a la procreación, también es justo explicar que no todos los embarazos son bienvenidos, especialmente cuando los involucrados son muy jóvenes y que por esta razón es un riesgo y conlleva una necesidad de responsabilidad. Hábleles sobre los anticonceptivos y, en especial, sobre los condones. Ya que estamos hablando de esto, hago un paréntesis para introducir el tema de las enfermedades de transmisión sexual. Queda a su juicio, dependiendo de la edad y de la madurez de sus hijos, qué tanto detalle puede dar acerca de ellas. Me basta con decir que de esta forma usted les presentará a sus hijos los pros y los contras de la actividad sexual para que ellos sepan que deben tomar algunas decisiones cuando llegue el momento.

LUJURIA VERSUS AMOR

Después del impulso incesante de las hormonas postpubertad, nos toma mucho tiempo comprender la verdadera diferencia entre nuestros encuentros sexuales, que se basan bien sea en complacer una función corporal o en transmitir nuestro profundo afecto hacia otro ser humano de la manera más íntima que conocemos.

Muchos adultos han tenido sexo sin amor. Para algunos este puede haber sido el único tipo de sexo que han conocido y a todos nosotros nos gustaría proteger a nuestros hijos de sentirse utilizados. Tristemente, es una lección que quizá tienen que aprender de la manera más ruda, pero eso no significa que no pueda advertirlos con anticipación. Si siempre les habla de sexo de una manera oblicua, nunca será capaz de hacerles entender su poder positivo en una relación amorosa. Algunas referencias del pasado son una buena manera de explicarles las alianzas que han funcionado y las que no, sin tener que dar todo un discurso, sino una perspectiva general que ayude a explicar el amor.

Más que cualquier cosa pienso que es correcto intentar hacerles entender que el sexo en cualquier circunstancia significa *algo*. Incluso existe el punto de vista de que las mujeres dan algo de sí en las relaciones sexuales, pero pienso que esto también puede aplicarse a los hombres. ¡Hey!, tal vez somos más sensibles de lo que ellas piensan.

ABUSO DE SUSTANCIAS

Podría hablar únicamente de drogas ilegales pero las bebidas alcohólicas y los cigarrillos son igual o más perjudiciales y hay una tendencia a clasificarlas como seguras. Si pongo las consecuencias a un lado por un minuto, tanto a corto como a largo plazo, podría decir que todos hemos consumido drogas. Pienso que es justo suponer que las personas que se entregan al placer de cualquiera de estas cosas piensan que estas son muy placenteras. De lo contrario, ¿por qué se molestarían en hacerlo? Pero el tema clave que hace que no me drogue en nombre de mis hijos es que hay consecuencias, muchas de ellas terribles, algunas fatales. De manera que aceptar la euforia de las personas que se drogan, no hace que yo sea una persona que esté de acuerdo con las drogas, sólo me hace una persona realista.

No quiero ser conservador o estar a la moda para que mis hijos piensen que soy grandioso; por el contrario, intento aplicar los valores que he empleado en otros aspectos de su crianza respecto a temas más controversiales. Si no quiere mentirles, para que puedan ver lo importante que es la honestidad, ¿cómo se desilusionarían si en algún momento tuvieran la tentación de probar algo que usted les ha dicho es la raíz de toda maldad pero que de hecho resulta una fuente de algún sentimiento temporal de extremo bienestar? Como la mayoría de los placeres de los "adultos", las drogas no están exentas de causar mayores dificultades pero sería ingenuo ignorar su euforia.

ROCK AND ROLL

Después de robar el título de este capítulo a una canción de Ian Dury, me siento obligado a seguirlo y hablar sobre el rock and roll, aunque realmente no haya mucho qué decir.

Si examinamos el tema de la música popular como un todo, este sólo tiene una regla de oro: a usted no le puede gustar la música de sus hijos. Aunque las mejores canciones en las listas de éxito actuales sean versiones lavadas de las canciones de nuestra era y tengan videos eróticos que impulsan las ventas, tenemos que reconocer que la música de hoy es una basura. No me importa si usted no está de acuerdo, simplemente desentierre su "contrato de padre" y lo encontrará en el artículo 12, párrafo 3, más o menos al final de la página 8: "La regla de oro de la paternidad dice que usted debe detestar la música de sus hijos. Además en intervalos regulares usted debe usar frases como: '¿qué es ese ruido?', 'no existe tono ni palabras apropiadas en eso' y '¿podrías apagar esa bendita cosa?' y seguirlas con una anécdota de cuando usted asistió a ese concierto de rock en 1985, que pudo bien haber sido en 1895, sólo con el fin de molestar a sus hijos".

Las cosas han cambiado radicalmente en el mercadeo de la música (una expresión que sólo un viejo como yo usa) y hoy en día los muchachos no esperan a la respetable edad de 14 ó 15 años para sumergirse en el equivalente musical de lo que más les gusta. Ya lo están haciendo desde los ocho años. Britney, muchas gracias. La resistencia es inútil, es mucho mejor enfocar su energía en convencerlos de lo espectacular que es su estéreo personal, ya sea de CD, MiniDisc o MP3. El gran beneficio es que usted no estará sujeto a las boberías que ellos escuchan. Si se inclina a hacerlo, la música es muy buena para darles cuerda bien sea para hablarles en un lenguaje cercano al de ellos: "Oh, eso suena espectacular, ¿está en el Hit Parade?" o para aprenderse los nombres de sus artistas favoritos de manera incorrecta: "Oh, quién es este, ¿es DJ Master-Flash-Bang Wallop-In Da-House?". Ellos odian aún más cuando intenta hablarles en el lenguaje de la "calle".

Ahora hablando en serio, con respecto a toda la música, sea que nos guste o no, intentemos animar a nuestros hijos para que la vean en vivo, porque de esta manera es auténtica. Puede que para usted sea una verdadera basura, pero por lo menos no es un fraude.

Inevitablemente esto significa que tendrá que acompañarlos a algunas de sus presentaciones y estar sujeto a un par de horas de agonía, pero no estará solo. La audiencia estará dividida entre niños de 8 a 12 años gritando y sus madres, hummm... Después de todo, puede no ser una mala idea. Una vez en una presentación de una banda yo era el único padre presente, cosa que me hizo sentir muy orgulloso. De hecho, había otro tipo allí, sentado en la parte de atrás con un abrigo sobre sus rodillas. ¿Miedito o qué?

MALAS PERSONAS

Los violadores, asesinos y pedófilos no están a la vuelta de cada esquina pero no pensemos (para nosotros mismos y nuestros hijos) que no hay individuos con intenciones malévolas en el mundo. Tenga un poco de sentido común en este asunto o usted correrá el riesgo que sus hijos le teman a todo. Las estadísticas no significan mucho si usted ha sido una víctima, pero es muy raro y hay que ser muy de malas para ser víctima de un crimen tan serio.

En un nivel más bajo existen otros peligros de los que se debe cuidar, como la violencia. Siempre he pensado que los niños tienen un sexto sentido innato que les indica cuándo hay problemas. Yo nunca he presenciado un hecho espontáneo e inesperado de violencia personalmente. Si usted se encuentra en un bar y se inicia una "discusión", uno sabe que algo va a suceder, pues se percibe en la atmósfera; me atrevo a apostar que esto también sucede en el parque. Mi regla básica siempre ha sido que si no queremos salir lastimados, es mejor irse. Esto puede sonar no muy valiente, pero es porque no lo soy y porque además me da la impresión de que los riesgos están aumentando, ya que por cada rufián que quiere darse un gustico con una pelea a puños hay otro chiflado con un cuchillo. Está bien, en términos matemáticos lo anterior es improbable, pero en realidad no quiero vagar por ahí para probar la teoría. No estoy seguro si usted pueda enseñarles algo útil a sus hijos con respecto a este tema, tal vez sólo que deben ser conscientes de lo que sucede a su alrededor y no hacer cosas que hagan que una situación de estas empeore.

LAS GROSERÍAS

No es gran cosa y no es inteligente, pero las groserías son parte de la sociedad. De hecho, creo que es más bien tierno cuando los niños salen con algo que han escuchado y no saben qué significa. Cuando tenía más o menos cinco años hice algo así un domingo a la hora del almuerzo. De alguna manera se me salió un "hp" (la palabra más grosera de todas, por consenso popular) en la conversación y después de unos momentos de un silencio por la sorpresa y con un poco de alegría forzada por parte de mis padres, ellos simplemente siguieron con la conversación. Creo que no hubiera tenido sentido lavar mi boca con agua y jabón, puesto que yo no sabía lo que decía.

Muchos de nosotros tenemos una lista de groserías tipo "A" y "B". No detallaré las primeras —usted mismo puede hacerlo— pero "carajo", "mierda" y "maldito" están todas en la segunda categoría. *Intento* no utilizarlas pero de vez en cuando se me sale una y no creo que sea el fin del mundo. Si los niños dicen groserías, no dejo que pase desapercibido, pero de igual manera pienso que existen cosas peores y creo que todo lo que necesitan saber es el contexto, de manera que saber cuándo y dónde utilizar esas palabras es más importante que no utilizarlas nunca.

Una vez pasan del jardín infantil al "colegio grande", normalmente a la edad de siete años, con toda seguridad habrán escuchado durante más o menos quince minutos todo lo que usted ha escuchado, y más. De manera que hacer como si dichas vulgaridades no existieran no tiene sentido. Sin querer ser quisquilloso, creo que las personas que dicen groserías todo el tiempo demuestran una falta de imaginación en el uso de su lenguaje. Incluso yo he oído cómo "hp" se dice hasta cinco veces en una oración, al final esta palabra pierde su significado. Siempre me pregunto lo que estas personas dicen cuando están *realmente* furiosas, seguramente no quedará nada por decir.

La desnudez y los cambios corporales

No estoy seguro de dónde provienen nuestras actitudes ante la desnudez. No recuerdo que anduviéramos por toda la casa en cueros cuando yo estaba creciendo, pero no me preocupa en lo absoluto que mis hijos me vean desnudo, excepto por el shock que les puede causar. Ellos también tienen actitudes diferentes, uno de mis hijos desfila desnudo de manera abierta y el otro es mucho más tímido. Realmente no sé cómo esto sucede, porque no recuerdo haber tratado a ninguno de ellos de manera diferente en su crecimiento.

Sin embargo, no importa cuáles sean sus actitudes ahora, estas pueden cambiar a medida que sus cuerpos comienzan a hacerlo. Aunque aborrezco la corrección política que hace que hasta nos puedan arrestar por tomar fotografías a nuestros propios hijos, entiendo la necesidad de la protección infantil. Al mismo tiempo creo que no es apropiado propiciar cierto grado de pudor una vez comienzan a ser adultos. Yo espero que, como muchas otras cosas, el pudor surja de manera natural, sin necesidad de discusiones. Pero al mismo tiempo espero que nuestra relación siga siendo lo suficientemente abierta para que ellos puedan, si sienten la necesidad de hacerlo, preguntar sobre lo que les está sucediendo. Al igual que con el tema de la educación sexual, aquí me preocupan menos los aspectos prácticos y me ocupo más en ayudarlos cuando tienen problemas emocionales. No recuerdo que me hubiera preocupado en lo mínimo por la aparición de pelo en mi cuerpo o cuando el tono de mi voz se hizo más grueso, con la excepción de que yo quería que todo sucediera mucho más rápido. La única cosa que siempre me preocupó fue pensar en la caída de mis testículos: ¿harían un sonido metálico cuando esto sucediera? En realidad todo era un montón de basura. La caída de mis testículos debió haber sucedido durante la noche porque nunca me di cuenta de ello.

Para los padres, la menstruación es un tema un poco difícil, ya que nunca podremos comprender realmente bien cómo se siente. Tengo una noción muy vaga y de segunda mano de que estos son los días más desagradables del mes, aunque puedo recordar que la frase más común de las niñas de mi edad era: "Cuando comienza, puede ser un poco incómodo y posiblemente tengas un suave dolor de estómago". Pienso que es mucho más común lo contrario, con intensos cambios de estado de ánimo, lágrimas sin razón y un dolor de estómago que podría tumbar hasta un búfalo. Como con el nacimiento, la madre naturaleza sabía lo que estaba haciendo cuando le dio la menstruación a su mismo sexo, de lo contrario a los hombres nos hubiera enviado a la cama durante una semana, cada cuatro semanas.

De todas maneras si no podemos sentir empatía, no sobra un poco de compasión y si usted es inteligente, se dará cuenta de que los cambios en los estados de ánimo son parte del ciclo menstrual e intentará acomodarse a ellos sin criticar. Amigas mujeres me han dicho que aunque ellas saben la razón de su irracionalidad, no pueden hacer nada para controlarla.

Durante mi propio desarrollo nos dijeron todo acerca de las hormonas y nos las describieron como "mensajeras químicas". Ahora esto significa muy poco para mí como en ese entonces, pero ahora sé que los niños y las niñas tienen muchísimas hormonas y los únicos mensajes que parecen llevar es "¡te odio!" y "¡no es justo!". Intento aguantarme la necesidad de ser condescendiente con mis hijos y decirles: "No te preocupes, son tus hormonas", porque sospecho que esto simplemente aumentará sus ganas de decir lo que ya han dicho.

¿Por qué tanta bulla por algunos cambios físicos? Estos no son nada comparados con las tristezas de extrañar a quien queremos, el enamoramiento y los constantes problemas de la vida. Estoy seguro de que sería mejor si empezáramos a prepararlos para todas estas cosas desde el momento en que nacen para que su impacto sea un poco más equilibrado. Sin embargo, me parece que dichos sentimientos son como cuando estamos esperando bus: pasa mucho tiempo mientras esperamos y nada pasa, y luego todos los buses llegan al mismo tiempo. Cuando se trata de novios o novias, puede ser muy confuso decidir con quién salir y algunas veces nuestros hijos escogen muy mal y terminan heridos. En ocasiones podemos ver cómo nuestro retoño ha escogido mal, pero no hay nada que podamos hacer al respecto. Aún peor, cuando todo sale mal, tenemos que mordernos la lengua y no decir: "Siempre pensé que él o ella no era la persona correcta para ti".

CRECIMIENTO

Algunas veces miro a mis hijos y quiero que no crezcan tan rápido. Me gustaría que pudieran ser tan inocentes como cuando nacieron, pero hay que ser realistas y es mejor influenciar sus puntos de vista, actitudes y aprendizaje sobre estos puntos de vista, en lugar de dejarlos a su suerte. Si va a dejar que alguien más los "eduque" sobre la vida adulta, usted está corriendo un riesgo, pues nunca podrá estar seguro de quién es esa persona.

Al igual que con la enfermedad, es mejor prevenir que curar, con las cosas de adultos, cualquier conocimiento que le ayude a evitar las dificultades es invaluable. Hasta donde puedo ver, la prevención también es mucho mejor que el embarazo, la rehabilitación o el mal gusto en la música.

Estas cosas de adultos pueden parecer un poco macabras, pero van a suceder, de manera que tenemos que afrontarlas. Como las otras fases del desarrollo de nuestros hijos, lo mejor que podemos hacer es equiparlos con las destrezas y el conocimiento para ayudarlos a salir adelante.

IV. COMPORTAMIENTO

EL COMPORTAMIENTO

¿Dictadura
o democracia?

Las reglas se hacen para romperlas. Por lo menos yo pienso eso. Una de nuestras cualidades como seres humanos que ha permanecido a través de los tiempos es sobrepasar los límites: llegar justo hasta el límite algunas veces y, ocasionalmente, llegar más allá de ellos. Supongamos por un minuto que la Tierra realmente es plana y que usted parte con un grupo de compañeros a descubrir dónde termina. Cuando está más o menos a una milla del borde de la Tierra, cree usted que alguien dirá: "Amigos, parece que el borde de la Tierra está más o menos a una milla de aquí, vamos a casa y contémoselo a todo el mundo". No, a alguien le gustaría acercarse más y luego un poco más hasta llegar justo al borde del planeta; luego, cuando alguien finalmente caiga, usted sabrá dónde estaba el límite.

Esta regla aplica exactamente de la misma manera en nuestras relaciones. ¿Recuerda cuando estaba casado? Sólo imagínese que usted le hubiera dicho a su esposa que iba a salir con unos amigos a un bar en la noche, si ella lo hubiera besado cariñosamente en la mejilla y le hubiera dicho que disfrutara, que no se preocupara a qué hora regresaba o qué tan borracho llegaría, lo más seguro es que usted lo habría intentado de nuevo la noche siguiente. De hecho, sólo cuando llegó un poco mareado una noche y ella estaba ahí de pie, metafóricamente en rulos, con el ceño fruncido, armada con un rodillo y con ojos diabólicos, usted se dio cuenta de que había sobrepasado la raya. Admito que esta es una manera muy ruda de aprender la lección, pero la aprende.

Los niños son iguales, necesitan saber dónde están los límites y con frecuencia sólo los ven cuando los sobrepasan. Hay más sugerencias sobre cómo manejar esto en el siguiente apartado, pero antes echemos un vistazo a cómo usted establece los límites, qué reglas vale la pena seguir y quién tiene la última palabra sobre lo que es aceptable y lo que no; también veremos cuándo alejarse de las reglas, que es una parte necesaria de todo proceso.

Por supuesto, existen algunos hogares en donde parece que no existen reglas. Probablemente, alguna vez ha estado en una de ellas: los niños se enloquecen, hacen lo que quieren, se niegan a hacer la mínima cosa que les piden y normalmente son anárquicos. No pienso que hayan sido felices nunca en esas circunstancias y creo que una de las razones por la que los niños pelean entre sí, se portan mal o hacen escándalos es porque quieren atención. Si tiene en cuenta que mucho de lo que hacemos como padres es con el interés de preparar a nuestros hijos para el mundo exterior, entonces ellos también deben aprender las reglas justo aquí, en casa. Si no es así, de la misma forma como con el sexo o las drogas, alguien allá afuera en el mundo real muy pronto les enseñará y usted no tendrá influencia sobre cómo sucederá esto. Basta con decir que esta será una experiencia mucho más dolorosa si nunca antes acataron ninguna regla.

Hay reglas a distintos niveles que usted puede aplicar para que su casa funcione tranquilamente, de manera que aquí muestro dos casos extremos para que piense al respecto.

DICTADURA: PROS Y CONTRAS

En este caso usted es el déspota todopoderoso que establece los lineamientos según los cuales todos tienen que vivir y lo grandioso de esto es que no tiene que ser modelo ejemplar de ningún comportamiento. De hecho, el adagio dice: "Haga lo que yo digo, no lo que yo hago". Aún mejor, usted puede cambiar las reglas siempre que quiera para que se adapten a usted y nunca necesita justificar por qué lo hace. Los lineamientos están diseñados principalmente para su propio beneficio y el que no los cumpla tendrá que atenerse a las funestas consecuencias. Optemos entonces por esto. ¿Debemos hacerlo? Bueno, temo decirles que también tiene su lado flaco. Usted puede esperar que siempre estén planeando un complot en su contra, que con el tiempo resultará en una conspiración retorcida que provocará un golpe de estado de temibles proporciones. La anterior es más bien una manera adornada de escribir lo que nosotros llamamos la rebeldía de la adolescencia. Esto no quiere decir que en el futuro haya forma de evitar los gruñidos y los portazos de la etapa menos simpática del desarrollo, pero podemos dar ejemplos de regímenes de represión en donde los padres han sufrido mucho más en comparación con la norma, una vez los muchachos llegan a la edad rebelde.

La otra dificultad de suprimir los deseos naturales de los jóvenes por ejercer sus derechos en casa es que ellos pueden hacerlo afuera, lo cual los pone en riesgo de convertirse en malandros o en cabritos (del tipo que no tiene amigos). Ellos necesitan un espacio para expresar su individualidad, de manera que es mejor que la exploren y aprendan a puerta cerrada en el "seguro" entorno de su casa antes de que la manifiesten en el ámbito escolar.

DEMOCRACIA: PROS Y CONTRAS

En Occidente tendemos a pensar que la democracia es una cosa buena, que les da a todos los miembros de una sociedad el mismo derecho a decidir cómo deben funcionar las cosas. Emmeline Pankhurst estaría orgullosa de ver que lo que ella comenzó ha resultado en la creencia de que todos los seres humanos somos iguales dentro de un estado democrático, aunque existan límites.

"De verdad pensamos que Tarquin y Jocasta tienen el derecho de opinar sobre todo lo que hacemos como familia". Sí, usted podría darles un puño, ¿no es cierto? (los padres, no los hijos... no lo sé). Si puede educar a un niño hasta su adultez sin que jamás haya pronunciado las palabras "¡simplemente no es justo!", lo tendrían que encerrar por el bien de la sociedad. Vivir en un estado democrático idealista en donde todos tienen voz y voto hace que la vida se reduzca al mínimo común denominador, donde nadie es verdaderamente feliz, pues todos estamos ocupados sacrificando lo que nos gusta por el bien de los demás. Se puede creer erróneamente que esto les enseña a los niños el valor de estar con la mayoría, pero tal exceso de consideración por los demás muy seguramente los convertirá en personas sumisas.

Estos dos estados son extremos opuestos y la manera más sensata de continuar es escoger un punto intermedio entre los dos. Pero, ¿dónde está ese punto exactamente?, ¿varía según las circunstancias? La decisión de cuáles serán las reglas y cómo aplicarlas es suya y honestamente estas cosas tienden a evolucionar con el tiempo sin pensarlo ni planearlo demasiado; simplemente actuamos de cierta manera. No estoy diciendo que tiene que estar siempre consciente de lo anterior y hacer una tabla que diga lo que es aceptable o no, pero sí creo que vale la pena buscar un equilibrio, tanto para usted como para sus hijos. Mientras esté en esto, es importante reflexionar sobre qué es lo que hace que nos comportemos de cierta manera como individuos, por lo tanto, a continuación presento algunos factores que pienso pueden afectar el tipo de régimen que cada uno de nosotros tiende a establecer.

HERENCIA

Primero que todo, estaremos bastante influenciados por nuestra propia crianza. Eso no quiere decir que la copiaremos, de hecho, algunas veces es totalmente opuesta. Si sus padres fueron muy estrictos, usted puede ver esto como un modelo para educar a sus hijos o se puede ir en contra, pues a lo mejor fue algo que usted no disfrutó cuando estaba creciendo. Algunas veces esa rebeldía de la adolescencia en la que hacemos lo contrario a lo que nuestros padres dicen o hacen tiene un efecto duradero, de manera que si a usted le dañaron la infancia con normas y reglas es posible que sea más laxo con sus hijos para que ellos no tengan que sufrir lo mismo. Alguna vez vi una caricatura satírica que mostraba a los abuelos y a los nietos como *hippies* "distantes" y a los padres "en el medio" bien puestos para ilustrar cómo cada generación se rebela contra la anterior. Lo que se hereda no se hurta.

VIDAS Y TIEMPOS

En el capítulo titulado "Cuando yo era un muchacho" examiné con detenimiento el tema de "vivir en nuestros tiempos" en lugar de estar en el pasado, y es inevitable que nuestros contemporáneos también influya aquí. Lo difícil de ser padre soltero es que por lo general no tenemos la oportunidad de ver a otros padres solteros en acción, sólo puede adivinar cómo lo están afrontando ellos. Sin embargo, una manera segura de descubrir qué sucede en otras casas es oír la información que tienen sus hijos sobre sus compañeros que están en la misma situación. Así como le dicen quién tiene los tenis nuevos y de moda, también le dirán cosas como: "A Pablo no lo dejan hablar el sábado en la tarde cuando su padre mira la carrera, se emborracha y pierde el tiempo toda la tarde porque no le gusta ser interrumpido". También puede sentirse como la gran cosa por ser un mejor papá que él (todo lo contrario a ser un mejor vagabundo que él).

AUTOESTIMA

La percepción que usted tiene de sí mismo afecta bastante la manera como usted se comporta con los demás y eso incluye a los niños (sus hijos) así como a los adultos. Si normalmente su autoestima es baja, lo último que usted quiere hacer es sentirse peor por ser un mal padre y la manera más fácil para salir de esa situación es darles gusto a los niños todo el tiempo, porque así ellos no le causarán ninguna molestia. Sin embargo, como dijimos antes, esta no es una estrategia eficaz y funciona como el ejemplo de encontrar los bordes de la Tierra plana. Los niños los presionarán más y más hasta llegar al punto en el que usted ya no puede dar. Ya les dio la cuatrimoto, pero un jet privado es demasiado.

Algunas veces, cuando sus hijos gritan y se quejan de lo injusto que usted es o lo peor, ellos están de muy mal humor porque usted no les da lo que ellos quieren, usted tiene que mantenerse en su lugar y hacer todo lo que pueda para convencerse a sí mismo de que lo que está haciendo es lo mejor para ellos a largo plazo.

Así como con sus propios rasgos de personalidad, usted también tiene que tener en cuenta el carácter de sus hijos. Si son tímidos y obedientes, ellos harán lo que usted diga sin preguntar, pero la mayoría de los niños son un poco maliciosos y reprimirlos demasiado es cohibir su derecho a la libre expresión. En última instancia esto los influenciará en la vida adulta y lograr el equilibrio es una tarea difícil. También es ridículo pensar que usted es quien hace las reglas, pues en muchos casos no será usted quien los cuida principalmente. Si los niños pasan la mayor parte del tiempo con su madre, es obvio que ellos estarán más acostumbrados a su régimen que al suyo. No soy de los que creen que debemos copiar ese régimen al pie de la letra y los niños ciertamente tienen una habilidad innata para adaptarse a cualquier lugar donde se encuentren, pero no es tan sano que haya mucho contraste, por ejemplo que una casa sea muy estricta y que en la otra pueda pasar cualquier cosa.

Algunos factores influyen más que otros y puede que en algunos momentos la culpa o el estrés sean los que gobiernen lo que usted considera aceptable. Yo, por ejemplo, era más impaciente en la época de mi separación, por lo que estoy seguro que entonces las reglas eran un poco más estrictas. Sin embargo, a medida que vamos alcanzando un equilibrio hay un punto en el que todos comprenden cuáles son los límites, aunque decidan no adherirse a ellos.

Una vez haya pensado en estas cosas y entienda qué tan relajado o agresivo debe ser su régimen, debe ingeniarse la forma para implementarlo. ¿Cómo evaluar lo que es justo y lo que es correcto? Leer muchos libros sobre la paternidad puede ayudar, pero yo prefiero confiar en mi instinto mezclado con una buena dosis de sentido común. No hay que ser un genio para saber cuándo es hora de ir a la cama y si se siente una persona relajada, que se inclina hacia la democracia tendrá en cuenta tanto el punto de vista de los niños como el suyo antes de decidir la hora de dormir y recibir "las buenas noches".

Sin importar cuál sea el sistema de valores que tenga, será un buen punto de referencia al momento de fijar las reglas. Si ser cortés está en su lista de prioridades, simplemente tiene que decidir qué quiere decir esto en la práctica, teniendo en cuenta que vivimos en el siglo XXI y no en el XIX. Revise sus otros valores y aplique el mismo criterio para decidir qué es y qué no es aceptable.

Esto puede sonar demasiado planeado, cuando en realidad reaccionamos de una manera mucho más espontánea ante lo que sucede a nuestro alrededor. El beneficio de echarle cabeza a este tema de manera anticipada, con toda seguridad hará que usted aplique las reglas. Ahora, los niños pueden soportar muchas cosas, especialmente cuando se trata de adaptarse a las circunstancias y a quien esté a cargo de ellos, pero con lo que no son muy buenos es con la inconsistencia. Si un día está bien hablarle de una manera un poco descarada, pero al siguiente día no lo es, es muy probable que se confundan. Ellos son muy buenos para percibir los estados de ánimo y comprender el contexto, por eso a puerta cerrada mis dos hijos se refieran a mí con felicidad como el "viejo gordo calvito" (que por supuesto no lo soy), pero saben que con ciertas compañías (no todas) esto sería mucho menos aceptable. En nuestra analogía de la Tierra plana hablábamos de llegar a los bordes, a los límites, si usted quiere. Lo que sucede cuando somos inconsistentes es que un día los niños se desviarán, creyendo que el borde está mucho más lejos de lo que está, y luego simplemente se caerán y se lastimarán como un demonio.

La decisión de qué tan estricto quiera ser usted también está regida por el tiempo del que disponga y por su paciencia. Si no tiene mucho tiempo para estar con sus hijos, es un desperdicio gastarlo en discusiones y si ellos están particularmente irritables, usted tendrá que calmar su propio genio a sabiendas de que muy pronto regresarán a casa con su madre. Si, por otro lado, es usted quien está de mal genio, necesita calmarse, pues a ellos les pasa lo mismo: ellos valorarán el tiempo que pasan junto a usted, de manera que no es justo hacerlos infelices si está desanimado. Si mis hijos o yo hemos tenido un mal día (cualquiera de los dos lados), me da mucho remordimiento cuando los llevo de regreso a casa con su madre porque por lo general me doy cuenta de que hubiera podido manejar mejor la situación en lugar de empeorarla.

Aquí presento unos últimos pensamientos sobre las reglas y regímenes. Si *conscientemente* decidió no tenerlos, entonces no está asumiendo su responsabilidad de padre; si, por otro lado, no lo pueden "molestar", porque esto sólo causa discusiones y ya tiene suficientes conflictos en su vida, el abandono de su responsabilidad es igual de grande.

Dos niños pueden darse cuerda entre sí hasta que regresen los mayores y luego discutir sobre cuál es el mejor. Algunas veces tiene que dejar que esto suceda, ya que es importante para que aprendan a comprometerse (o comprendan que quien golpea primero golpea dos veces), pero también hay ocasiones cuando una intervención a tiempo prevendrá que la situación empeore.

Resolver disputas entre niños es como intentar lograr la paz mundial; es difícil y agotador pero al final es mucho más probable tener éxito por medio de negociaciones que recurrir a la violencia y al contraataque. Siempre que sea posible, intente equilibrar el resultado entre las partes para que cada uno gane por turnos. Si siempre está más a favor de una parte que de la otra, las disputas simplemente aumentarán. Recuerde lo que dije antes sobre la consistencia e intente aplicar reglas similares en situaciones como estas y también intente comprender que el derecho a la apelación, en algunos casos, es bueno. Si está discutiendo sobre la hora de ir a la cama y da una tregua de quince minutos, eso no significa que todo el "régimen" se derrumbará, pero esto le ayudará a enseñarles a sus hijos el valor del compromiso.

Lo más importante es tener algunas reglas, entonces, por lo menos, sabrá cuándo han infringido los límites. Para terminar, cuando se trata de mantener el orden: le deseo buena suerte, créame, ¡la va a necesitar!

No me hagan enfadar

La disciplina puede ser muy difícil de lograr, pues para imponerla debemos intentar equilibrar los buenos modales y los comportamientos aceptables con la libertad de expresión de sus hijos. Vale la pena que le dedique algún tiempo a pensar cómo lo va a hacer y tomar algunas decisiones al respecto. De esta manera, usted no va a reaccionar ante cada situación según como se sienta en ese momento.

Confieso que al principio esta era un área que me preocupaba mucho, en parte porque sabía que lo que estaba permitido en la casa de la madre de mis hijos era muy distinto a lo que yo permitía en la mía, temía que los niños se confundieran. Hasta que una buena amiga (mujer, intuitiva) me dijo: "¿Si alguna vez le pediste un permiso a tu padre y él te lo negó, fuiste a pedirle lo mismo a tu madre?". Lo admití y ella me señaló que los niños son unos genios para entender que pueden obtener una reacción diferente de cada uno de nosotros y manipularnos sin importar si vivimos o no bajo el mismo techo.

Pero las buenas noticias son que usted *puede* establecer sus propias reglas. Los padres solteros tendemos, en general, a tener una actitud más relajada ante la disciplina, en parte porque en la mayoría de casos vemos mucho menos a nuestros hijos y no queremos pelear con ellos todo el tiempo; y por otra parte, porque ellos ¡tienen mucho menos tiempo para contradecirnos!

Sin embargo, como ya lo he dicho, sugiero no tener un régimen *tan* diferente al de su madre, ellos necesitan comprender algunos principios fundamentales de comportamiento aceptable y asumo que usted y su ex tuvieron puntos de vista similares al respecto en alguna etapa de su pasado. Ser demasiado despreocupado únicamente significará que lo acusen de querer "comprarlos" para que estén a su favor ("bueno, papá nos deja estar despiertos hasta tarde...") y puedo garantizarle que, sobre esta base, usted será el único responsable de que los encuentren robando en las tiendas a los 14 años.

Pienso que si usted mantiene la disciplina dentro de los límites más o menos aceptables, entonces es justo esperar que su ex no interfiera con su régimen, siempre y cuando usted no interfiera con el de ella. Sólo usted puede decidir qué es lo que está bien y qué no, pero tome como ejemplo la siguiente historia y piense cuál sería su reacción y por qué.

CRIMEN Y CASTIGO

Sam, de siete años, estaba tomando el refrigerio en la cocina de la tía Anne. Su papá le sirvió un vaso de leche y lo puso sobre la mesa, y le dijo: "Sam no te lo riegues encima". Al rato, Sam se lo regó encima y estalló en llanto.

La tía Anne (una madre experimentada) se abalanzó con un trapo en una mano y utilizó la mano libre para consentir y calmar a Sam. Todo había terminado después de unos pocos segundos y la crisis estaba solucionada. Antes de que comience a criticar la tontería de esta historia de "no llorar sobre la leche derramada", le digo que ocurrió de verdad. Más aún, esto me ha enseñado una serie de lecciones útiles sobre la disciplina.

Digo esto porque mi reacción hubiera sido gritarle, especialmente porque le acababa de decir: "¡Alerta, leche, ten cuidado! Tierra llamando a Sam, estoy poniendo esto aquí, no lo riegues". La reacción de la tía Anne ante la situación hizo que me diera cuenta de que puede haber una manera diferente de manejarla.

LECCIONES IMPORTANTES

LOS NIÑOS SON TORPES

La verdad de esto es que ellos aprenden sus habilidades motrices poco a poco, sus manos son más pequeñas y sus músculos son más débiles. Ellos serán así hasta cierta edad (mi hermano dice que más o menos hasta los veintiún años), entonces aprenda a vivir con ello. Cuando son pequeños, usted puede evitar los derrames usando baberos y teteros sellados, y con el tiempo "los vasos con tapa" serán la transición hacia un vaso lleno de leche, deles la oportunidad de aprender, a sabiendas de que derramarán un poco de leche.

HABRÁ ACCIDENTES

No son sólo los niños quienes hacen este tipo de cosas, ¿recuerda la última vez que le sucedió? Entonces, ¿de quién fue la culpa? De repente gritar pierde todo sentido. Más bien ahorre su energía para limpiar.

UN SENTIDO DE LA PROPORCIÓN

¿Nadie ha muerto o sí? Sólo se necesita un líquido de fácil enjuague y una mesa de fórmica (ese es nuestro estilo en casa). Los niños nos enseñan el poco sentido que tiene apegarse demasiado a las cosas mundanas. Yo opino que cuando ellos son bebés y comienzan a dar sus primeros pasitos no tienen el sentido de la calidad de su tapete beige claro, o de los parlantes Bose. Los niños embadurnan todo con sus pegajosos dedos y "asesinan" todos los adornos que puedan alcanzar y que les gustan.

RECRIMINACIONES Y APRENDIZAJE

Cuando el accidente ya ha sucedido y todo se ha limpiado, es bueno tener una pequeña charla con calma sobre qué fue lo que lo ocasionó, en lugar de intentar volver rápidamente a ver televisión; dígales que es mejor poner atención o concentrarse un poco más en lo que hacen.

Y finalmente... si a la edad de 15 años esto continúa sucediendo con frecuencia, ¡entonces usted puede gritar!

Si alguien comete un "crimen", la situación llega hasta el punto de impartir algún castigo. Esto me recuerda el viejo chiste que dice: "¿Por qué las personas siempre llevan a sus hijos al supermercado para pegarles?". Con todo, se me rompe el corazón cuando veo que sucede. Sé que la opinión sobre el tema del castigo físico (dar una palmada) está muy dividida y polarizada y puede que no esté de acuerdo con mi punto de vista, pero de todos modos lo diré.

Yo no soy un "maltratador"; no veo el objetivo. No soy un santo y han habido momentos extraños en los que he estado furioso o desilusionado con los niños y ellos probablemente hubieran preferido una palmada para romper la tensión y volver a la realidad. Estos momentos son muy raros, pero nunca los golpeo puesto que no veo ningún beneficio positivo para *nadie* en el corto, mediano o largo plazo.

Si usted es el niño, esto le dolería de dos maneras. Primero, existe el dolor físico, y segundo, la humillación que ocurre en estas circunstancias, pero es mucho peor cuando es en el supermercado. Esta combinación suele dar como resultado el llanto que incrementa la humillación; y, lo que es peor, he visto una auténtica desilusión en las caras de los "padres del supermercado" si los niños no lloran. ¿No es muy extraño y cruel? Por supuesto, los niños pueden ser horribles, todos lo sabemos, pero no entiendo cómo este tipo de comportamiento violento les pueda dar una lección que no hubieran podido aprender de una mejor manera.

Si usted es el adulto de esta situación, también pierde. Ha herido (de dos maneras) a alguien a quien ama mucho y se ha demostrado a sí mismo que es incapaz de hacer que se comporten de otra manera, cosa que está muy lejos de ser un buen testimonio de su inteligencia, madurez o habilidad de ser padre.

Ahora mismo, tengo ganas de decir que los maltratadores obedecen a un instinto animal, a una reacción básica para alterar el comportamiento de sus hijos. Pero honestamente no puedo recordar un solo documental de David Attenborough, con secuencias de cualquier otro animal sobre el planeta que le ocasione dolor deliberadamente a sus crías para ayudarlos a aprender. Enseñar lo que está bien o mal es natural, inculcar un sentido de disciplina en el hogar es esencial y la violencia no tiene sentido.

UNA HISTORIA SOBRE EL CASTIGO

Tengo un gran amigo que cuenta de manera sentimental cómo su desobediencia de niño en ocasiones lograba hacer que su papá "los golpeara con su cinturón". Esto era más probable "si se había tomado algunos tragos".

Mi amigo afirma riéndose que esto "nunca le hizo ningún daño", y debo decir que él es uno de los hombres más amables, buenos, genuinos que he conocido, de manera que no me queda muy fácil discutir al respecto. Sin embargo, la verdad es que nadie podrá convencerme de que esto le hizo bien.

Este tipo de historias tienden a poner los pelos de punta a la mayoría de adultos que conozco, aunque para muchos de ellos hay una gama de castigos en la que este tipo de brutalidad está en el último extremo, pero una suave palmada o "palmada de cariño", como les gusta llamarla, está bien. Yo no lo entiendo. ¿En dónde está el "amor" en eso? Estoy muy consciente de que si no está de acuerdo con mi punto de vista, estará pensando que soy políticamente correcto, ando con sandalias y barba y que debería dejar de interferir con los derechos que cada padre tiene de darle a su cría un buen golpe de vez en cuando. Desde mi punto de vista, usted no puede amar demasiado a sus hijos, entonces, ¿para qué hacer que duela?

Al comienzo de este capítulo dije que creía que es importante que usted le dedique algo de tiempo a pensar sobre el tipo de "régimen" que quiere implementar y expliqué que esto ayuda a no ser demasiado reactivo. No tengo nada escrito sobre mi propio caso (es muy triste) pero sí tengo una voz interna que me dice lo que es aceptable y lo que no lo es en diversas circunstancias. Creo que si usted me presentara distintas situaciones, podría decirle de manera precisa cómo reaccionaría.

Reflexione sobre la diferencia entre dictadura y democracia de la que hablé en el apartado anterior, escoja de qué lado de la línea quiere estar e intente ser consistente al respecto. Pero lo más importante de todo, comuníqueselo a los niños por medio de hechos y palabras. Dígales que usted está dispuesto a que lo cuestionen, cuáles son los temas que pueden discutir y el valor que le dará a sus opiniones, y déjeles muy en claro lo que no está abierto a discusión. Si se siente demasiado radical, incluso podría explicar por qué: "No, Ruperto, no puedes traer drogas 'tipo A' a la casa porque son ilegales".

CÓMO SABER CUÁNDO TIENE ÉXITO

Una vez establezca los estándares, esté preparado para ondear la bandera azul y retirarse a una distancia segura ante ataques ocasionales, pues sin lugar a dudas habrá momentos en que estalle una rebelión. Si algunas veces mis hijos no me cuestionan, sino que intentan hacer las cosas a su manera, entonces siento que he fallado como padre. De vez en cuando la anarquía doméstica puede ser una fuerza muy positiva. No abuse.

Muestre sus sentimientos

Aunque no es un punto de vista muy difundido o conocido, pienso que por lo general los hombres somos mucho más emocionales que las mujeres, pero que no somos tan buenos a la hora de demostrarlo. No, eso no es estrictamente cierto, tendemos a mostrar nuestras emociones sólo dentro de un estricto conjunto de reglas. Si piensa que los hombres no pueden ser apasionados, vaya a un partido de fútbol local una mañana de domingo y observe el comportamiento en las tribunas.

Afortunadamente también nos está yendo mejor en circunstancias más personales y ya no somos tan rígidos como la generación anterior, pero el panorama todavía es muy desigual.

Compare estas dos historias sobre "irse de la casa". Recuerdo cuando un amigo me contó sobre el día que se fue de su casa; su padre estaba de pie sobre el escalón de entrada, las manos en los bolsillos, moviendo su cabeza con un gesto de adiós y diciendo las inmortales palabras: "Bueno, nos vemos". Yo tuve un poco más de suerte. Reubicaron nuestra compañía y muchos de nosotros fuimos trasladados a otras partes del país; de alguna manera me sentí forzado a dejar mi casa. A las seis de la mañana de un lunes, otro de los muchachos me vino a recoger en su auto y mientras me alejaba, mi padre tenía lágrimas en sus ojos. Creo que esa fue la primera vez que lo vi llorar, la primera vez en 23 años y esto tuvo un gran efecto en mí. Mi padre no tuvo que esperar mucho tiempo para la segunda vez, pues obtuve otro trabajo y regresé a casa al cabo de doce semanas.

Si pensamos en la generación anterior, las cosas eran peores. Fui a visitar al tío abuelo Billy al hospital y me enteré de que se estaba muriendo (tal vez él también lo sabía) y aunque nunca fuimos muy cercanos (sólo nos veíamos en Navidad y en las reuniones familiares), antes de irme sentí una gran tristeza y me incliné para darle un beso de despedida, quizá por última vez. A pesar de su frágil condición, saltó hacia el otro lado de la cama como un galgo inglés para evitar mi cercanía y me dio una mirada que decía: "¿Qué crees que soy, un homosexual?". Gran error.

Hoy en día se pueden ver más demostraciones de cariño entre hombres y ya no es inusual que los amigos se den la mano o incluso se abracen. Admito abiertamente que me gusta, pero comprendo que aún hace sentir incómodos a algunos hombres.

Es muy fácil amar a sus hijos pero para algunos de nosotros el legado de generaciones anteriores y su forma de mantener las distancias hace que no siempre sea tan fácil demostrarlo y, aun en las relaciones más "rígidas", los niños probablemente siempre saben qué tanto les importa. De todas maneras es mucho mejor si es capaz de expresar sus sentimientos. Esfuércese en mostrarles qué tanto los quiere.

Besos y abrazos

Cuando los niños son muy pequeños es muy fácil darnos el gusto de dar muchos besos y abrazos sin importar el género de los niños. La demostración de cariño es algo muy imparcial, ambas partes obtienen el mismo placer en ello. A medida que pasan los años, claramente es mucho más fácil mantener este tipo de cariño con las hijas, pero recuerde que las condiciones en las que crecimos, mucho más severas en la época del tío Billy, inevitablemente dejarán su perdurable legado sobre la generación actual de los hijos hombres, por lo que usted puede estar seguro hasta cierto punto de que estarán menos inclinados a que los besen, especialmente, y enfatizo esto, *especialmente en público*. Aunque todavía me permito ser cariñoso con mi hijo dentro de nuestro hogar, dejarlo en el colegio y darle un beso de despedida todavía se considera algo del peor gusto. Ahora le desarreglo un poco el cabello antes de que salga del auto, pero tengo la sospecha de que algún día me vendrá a pedir cuentas por esto.

Con suerte, podré volver a tener algún tipo de contacto cariñoso, una vez esta fase haya pasado. Tal vez cuando él tenga 20 años y se esté graduando en la universidad me dará un gran "abrazo de hombre" para despedirse, sólo para sacarme rápidamente unos cuantos billetes de mi bolsillo.

Tengo menos y diferentes preocupaciones acerca de mi hija. La sociedad le permite ser más abierta y amorosa conmigo, aunque a medida que se vaya volviendo adulta tendrá que dejar de sentarse sobre mis rodillas, no porque piense que es inapropiado sino porque pesará mucho.

PALABRAS

Los gestos y el lenguaje corporal pueden transmitir muchas cosas pero no hay nada mejor que decirles a los hijos lo que siente por ellos. Casi no logro entender por qué los padres dudan en hacerlo si se sienten seguros de sus hijos. ¿Por qué no decírselo? Habitualmente decimos "te quiero mucho" cuando nos despedimos, ya sea en persona o por teléfono y pienso que eso es bueno, pero de vez en cuando, deberíamos hacerlo en otros momentos para demostrar que estas no son sólo palabras. Algunas veces les digo a mis hijos que los quiero a la hora de acostarse, los arropo, los miro directamente a los ojos y les digo lo que siento, pero no siempre tiene que ser con esta intensidad. De hecho, es muy bueno hacerlo algunas veces desprevenidamente, mientras usted desayuna y conversa con ellos se lo puede manifestar de manera casual.

Y esas "tres pequeñas palabras" no son las únicas que puede utilizar. En su debido momento les puede decir: "Estoy tan orgulloso de ti", "eres tan especial", "realmente me haces reír". Así como expresa sus sentimientos, ellos también construyen su autoestima: elogios, elogios, elogios y luego un poco más de elogios. No se preocupe si se convierten en unos engreídos o si piensan que son mejores de lo que son, ese gran mundo cruel allá afuera tiene el hábito de mantenernos con los pies en la tierra y lo único que usted está haciendo es equilibrar en algo las críticas que están destinados a enfrentar.

Si por naturaleza usted es una persona tímida y encuentra difícil expresar sus sentimientos de esta manera, puede escribirlos. Como usted no está siempre con sus hijos, le puede dedicar un momento a escribir una buena carta como se hacía en los viejos tiempos. Es una lástima que este arte se esté acabando, pero en sí las cartas son muy especiales, precisamente porque ahora más bien son una rareza. Tampoco tiene que ser una carta de amor cursi, simplemente puede contarles despreocupadamente lo que ha hecho durante el día, los planes para el futuro, su interés por su vida en el colegio, pero termine con algo especial que les diga lo que siente por ellos.

El correo electrónico también funciona bien y aunque es menos formal tiene la ventaja de ser más espontáneo, además usted puede mostrarles por este medio que piensa en ellos de otras maneras, con una foto digital o un vínculo a una página web que sabe que les puede interesar o divertir. Refuerce su correo electrónico con una nota que diga: "Pensando en ti" o algo similar.

Secretos

Una gran manera de generar intimidad con otro individuo es compartir un secreto, algo que sólo ustedes dos saben, que puede ir desde una seña o mirada secreta hasta un poco de conocimiento compartido. Nosotros tenemos una expresión facial que apodamos "la mirada familiar" que quiere decir: "¿Qué significa todo esto?" y que utilizamos en ocasiones sociales cuando no podemos, por protocolo, decirlo en voz alta. Igualmente, nos inventamos el "movimiento de pulgar de Teobaldo" que utilizamos en ocasiones en las que de hecho no podemos hablar, como cuando los niños están en un concierto con el coro del colegio. Un movimiento rápido del pulgar dice: "Hey mira, estoy aquí" y la respuesta dice: "Sí, ¡ya te vi!". Puede que usted no sea tan simplista como nosotros, pero igual puede compartir historias que sean especiales para usted y sus hijos. Mantenga los secretos en la inocencia y en un territorio libre de chismes.

A SOLAS CON UNO DE SUS HIJOS

He mencionado las cosas que compartimos como familia pero también dije anteriormente que los niños adoran sentirse especiales. Si pasa un tiempo a solas con cada uno de sus hijos, ellos se pueden comportar de una manera completamente diferente a cuando están en compañía de otros niños, en especial de sus hermanos. Algunas veces el hijo mayor puede ser mucho más maduro y adulto si no lo igualan al más pequeño de sus hermanos y hermanas. No olvide que si tiene más de un hijo usted debe compartir este tiempo especial de igual manera con cada uno de ellos, no sólo porque lo culparán de favoritismo si no lo hace, sino por que obtendrá reacciones y respuestas diferentes de cada uno de ellos. A los niños les encanta que los vean como individuos y no como parte de un paquete colectivo. Algunos profesores confirman este hecho: podemos llegarles incluso a los niños más "difíciles" si los tratamos como individuos. Puede ser que usted tenga un secreto especial con cada niño, lo cual está bien siempre y cuando no se le salga de manera inadvertida delante de sus hermanos; de hecho es mejor no mencionarlo.

APOYARLOS

Sobre lo que dije de expresar sus sentimientos, hay momentos en que las acciones hablan más que las palabras, por ejemplo, asistir a los eventos que son especiales para sus hijos. Esto puede ser tan importante como el día de su cumpleaños y también la obra de teatro de Navidad en el colegio. No utilice palabras evasivas como: "Haré lo posible por llegar". Si piensa que no puede lograrlo, entonces dígalo así, por lo menos, sus hijos no estarán estirando sus cuellos para encontrarlo, sólo para desilusionarse después. Por otro lado, si dice que definitivamente estará allí, asegúrese de no defraudarlos, pues el sentimiento de desilusión les arruinará todo el evento.

Si tiene las presiones de un trabajo de tiempo completo, tendrá suerte si puede asistir a algunos de estos eventos, pero estar en contacto con el colegio y estar al tanto del calendario social de los niños le ayudará a planear con anticipación su agenda y pedir un día libre o negociar unas pocas horas con su jefe. Una vez más la regla de oro de la paridad aplica: si tiene más de un hijo, ¿qué podría ser peor que asistir a los eventos especiales de uno de ellos y nunca a los de los otros?

Ritual

Puede ser difícil tener tiempo para ser "tan especial" y algo muy importante es que puede hacerlos sentir amados fácilmente con métodos más rutinarios. Hay una oportunidad para hacerlo dos veces al día y llega de una manera natural: en la mañana y en la noche. Los fines de semana en especial, usted tiene la oportunidad de disfrutar tiempo con ellos y puede introducir la costumbre de arruncharse todos en su cama para tomar un té y una tostada y hablar del día que les espera. Mi hermana (cuyos hijos son casi adultos ya) solía llamar esto "la mejor parte del día". De la misma manera puede convertir la hora de ir a la cama en un ritual y ¿qué podría ser mejor que dormirse con pensamientos felices acerca de lo valioso que es usted? Aunque sólo pase un minuto con cada niño deles un abrazo y dígales que los quiere mucho, pues es una gran inversión tanto para el bienestar emocional de ellos como para el suyo.

También puede analizar el día que ya pasó, hacer énfasis en los buenos momentos y minimizar los malos, después de todo, mañana habrá toda una oportunidad para comenzar de nuevo. Por otro lado, tal vez sus hijos tengan un cuento favorito que les pueda leer o una canción para cantarles. Yo sé que la tienen.

¡CÁLLESE Y ESCUCHE!

A los niños les gusta saber que usted se interesa por ellos, eso los hace sentir bien. No siempre hay tiempo para escuchar detenidamente lo que está sucediendo en sus vidas, pero si nunca lo hace no pasará mucho tiempo antes de que usted se dé cuenta de que no tiene sentido que ellos le cuenten algo que a usted no le importa. No está bien sentirse frustrado si les pregunta: "¿Cómo les fue hoy en el colegio?" y ellos le responden: "Pues bien". Escuchar detenidamente significa que no puede leer el periódico o ver el partido al mismo tiempo. Tiene que mirarlos a los ojos, hacer preguntas relevantes y prestar atención a las respuestas. También es muy bueno si recuerda lo que le dijeron y en otra oportunidad les pregunta nuevamente acerca del mismo tema.

Si los niños hablan sobre sus problemas durante la charla, no se sienta comprometido a tener respuestas rápidas, especialmente si las soluciones no encajan con su carácter ("bueno, si yo fuera tú, ¡simplemente le hubiera pegado en la nariz!"). En cambio, anímelos a resolver sus problemas a su manera preguntándoles: "¿Tú qué crees que sería mejor?" y apoye sus sugerencias si cree que son correctas. Si salen con una respuesta que no es la más adecuada, explíqueles sus implicaciones (por ejemplo; "golpearlo en la nariz puede parecer una buena idea pero, ¿has visto el tamaño de su papá?"). Tratarlos con desdén o sugerirles su propio método de enfrentar el mundo, no les da ninguna oportunidad de descubrir cómo manejar las cosas a su manera.

CORTÉJELOS

Piense sobre la forma como usted se comportaría si estuviera enamorado de una mujer y esto le dirá todo lo que necesita saber para hacer que sus niños se sientan queridos. Ya he hablado acerca de la comunicación escrita, pero volviendo al tema, ponga una nota secreta debajo de su almohada o, si tiene la oportunidad, en la lonchera. No tiene que ser cursi, un chiste compartido tiene el mismo efecto. El comediante Spike Milligan escribió cartas cortas de "hadas" para sus hijos, que después escondió por toda la casa o el jardín para que ellos las descubrieran. Para hacerlos sentir especiales no necesita derrochar dinero o tiempo en ellos (aunque de vez en cuando no sobra), sino prestarles atención.

Sólo porque son nuestros hijos, no hay razón para darlo por hecho, intente demostrarles su cariño de diferentes maneras para que ellos se den cuenta de que está pensando en ellos. Si ha escuchado sus conversaciones (ver arriba), puede darse cuenta fácilmente qué sucede en sus mentes y sorprenderlos con algo tan sencillo como comprarles la nueva chupeta que vieron en un comercial de televisión y que comentaron cómo se veía de rica. Cuando se interesen en un programa específico, usted puede grabar algunos episodios mientras ellos no estén y luego se pueden sentar a verlos. También puede investigar en algunas páginas web sobre la última película de gran éxito con la que ellos estén muy entusiasmados y guardar la información en la carpeta de favoritos. Por otra parte, puede llevarlos de compras para que escojan (¡bajo su orientación!) el nuevo papel de colgadura o pintura para sus habitaciones. Estas son sólo unas pocas ideas, pero existen muchas más con las que les puede mostrar que ellos son especiales para usted.

Juegos inventados

Inventar sus propias versiones de sus juegos favoritos es una gran idea. Un plan ideal es la búsqueda de un tesoro durante un día de invierno en el que nadie quiere salir a aventurarse. Puede meterle a este juego su personaje de cine favorito, como por ejemplo, James Bond, o escoger un tema alrededor de los juguetes con los que más juegan. Disfrácelo para una misión de "espía" que lucha contra el crimen o algo igual de aventurero. Cuando esté realmente inspirado (y cuando ellos estén lo suficientemente crecidos), puede hacer que las claves sean más crípticas o incluso escribirlas en el reverso de un papel. Si le asigna a cada uno (y a usted) el nombre de un personaje (también algún disfraz y accesorios) todo se convierte en una aventura. Al final de la caza es necesario tener algún tipo de recompensa (en nuestra casa, normalmente son chocolates). Pero por el bien de la justicia y para no arruinar la diversión es mejor hacer que cada niño tome un rumbo diferente para que la recompensa termine siendo pareja. La cacería del huevo de Pascua es similar a esto, pero es mejor si usted envuelve los huevitos en papeles de distinto color, uno para cada niño. De esta manera se ayudarán mutuamente a encontrar los de cada uno.

LA LIBERTAD DE ELECCIÓN

No pasará mucho tiempo antes de que los niños empiecen a tener sus propias opiniones sobre todo tipo de cosas: lo que les gusta comer, su camiseta favorita, etc. Es justo que cuando esté buscando cosas que tengan que ver con ellos, ellos tengan voz y voto. Para evitar desastres sugiera un menú de cosas en las que todos puedan participar y esté preparado para alejarse de vez en cuando. Haga algo que no le guste, pero que sabe que a ellos les brinda un inmenso placer. Si ven que usted se sacrifica por ellos, sabrán lo especiales que son para usted.

Si todo esto hace que la relación con sus hijos suene como un gran romance, entonces está bien, puesto que eso es lo que es. Todos queremos que nos quieran, que nos amen, que nos brinden alegría, que nos adoren y saber que le importamos a alguien, alguien que siempre está ahí para nosotros, sin que nos juzgue, sin prejuicios o condiciones. Usted puede ser esa persona para ellos. ¿Qué puede hacer a un niño más feliz?

V. EL FUTURO
(RESPECTO A USTED)

MUJERES,
MUJERES, MUJERES

Así haya decidido permanecer soltero por siempre o buscar una compañía voluptuosa, debe pensar seria y conscientemente sobre el tema de las mujeres (de hecho, hay momentos en que no pienso en nada más). La razón es que sus nuevas relaciones con el sexo opuesto tendrán un efecto sobre cómo se relaciona con sus hijos. Porque gústele o no, la unión con su pareja dio como resultado a un recién nacido que es parte de la vida y hay asuntos que usted tendrá que asumir bien sea que escoja o no "lanzarse de nuevo al ruedo".

Volar solo

Primero hablaré de ser soltero, simplemente porque, créame, es más fácil. Lo siento, olvidé por un minuto a quién le estaba hablando. No necesito decírselo, ¿o sí? Permanecer soltero, es decir, haberlo decidido conscientemente en lugar de no ser capaz de "salir con una mujer" es una opción que siempre me ha parecido muy atractiva, por lo menos por un tiempo. Si está un poco traumatizado psicológicamente después de su separación, es muy beneficioso darse un poco de tiempo y espacio para decidir qué es lo que quiere después. Aunque es muy tentador probarse (a sí mismo) que aún es atractivo, este es un juego muy peligroso si está despechado.

En cambio, tomarse un tiempo para reflexionar sobre qué fue lo que estuvo mal la última vez, incluyendo lo que usted pudo haber hecho de manera diferente, puede evitar que usted cometa los mismos errores una vez más; no hay garantías pero vale la pena intentarlo. También piense sobre el tipo de persona que usted es: ¿sería feliz estando solo, no sólo con sus propias necesidades, sino también con el cuidado de los niños?

Finalmente, y tal vez la pregunta más importante es: ¿en qué estado se encuentran sus hijos? ¿Parece que se están adaptando y superando la separación, su comportamiento es voluble e impredecible?, ¿han expresado sus sentimientos?, ¿conoce sus deseos y miedos? Este último punto es especialmente importante, pues presentarles una nueva amiga antes de que ellos estén listos podría terminar en un desastre.

Para algunas personas permanecer mucho tiempo soltero es un estado lamentable, aunque yo siempre me he sentido bien así. Por supuesto, habrá cosas que inevitablemente extrañará de estar en una relación, pero en realidad en los primeros días vale la pena recordar que el proceso de recuperación del control y la libertad en su vida fue doloroso y probablemente costoso. Puede que no tenga demasiado afán de botarlo a la basura. Que los segundos matrimonios tengan mayor índice de fracaso que los primeros también es un factor alarmante, por lo tanto estadísticamente está en un terreno mucho más inestable que la última vez.

UNIÓN EN PAREJA

Sin embargo, puede llegar el momento en que una vez más usted se sienta listo para meter el dedo en el agua y pronto se dará cuenta de que las cosas han cambiado bastante desde la última vez que estuvo en el juego de la conquista. A las personas que han estado fuera de circulación por un tiempo les deberían poner una advertencia para que las personas que se acercan desprevenidamente sepan en qué se están metiendo. Existen algunos temas clásicos que en las primeras citas deberían evitarse como hablar detalladamente sobre su separación, todas las cosas que salieron mal en su matrimonio o una retahíla interminable sobre el cuidado de los niños. No se trata de negar que sean temas importantes en su vida actual, pero no hay necesidad de compartirlos todos de una sola vez, y un grado de humildad con respecto a que se necesitan dos para conformar un matrimonio y dos para acabarlo no sobraría.

EL JUEGO DE LA CONQUISTA (¡NUEVAMENTE!)

Usted sale al ruedo nuevamente pero, ¿a dónde debe ir un tipo como usted?, ¿qué debe hacer si una vez más se encuentra a la conquista de una doncella? Si es muy romántico podría dejarlo al destino, pero tenga en cuenta que puede esperar bastante tiempo. Algunas veces el destino necesita un pequeño empujón.

Si las historias de los abuelos incluyen esa de conocer la compañera de la vida en el supermercado, las historias de los viejos divorcios dicen que esto es completamente absurdo. Todo ese cuento de encontrar su verdadero amor en el pasillo del supermercado más cercano es una completa basura. La teoría dice lo siguiente: todo lo que tiene que hacer es ver a la mujer que desea, acercarse a ella sin querer queriendo y estrellarse con su carrito y luego comenzar una conversación que resulta en una invitación a comer que termina con las luces tenues y...

A menos que las mujeres estén igual de trastornadas que usted es poco probable que su doncella esté haciendo otra cosa que no sea ir de compras, un proceso desagradable y además necesario. Con esto en mente, ella querrá completar la tarea rápidamente y con la menor interrupción posible. Es probable que la estrellada de los carritos termine en una mirada fría o peor, en un "¿acaso no ve para dónde va?", con un gesto de un tipo que parece un Neandertal, que usted no vio, y es la otra mitad (o posiblemente las dos terceras partes) de su bella dama elegida. Incluso, si ha tenido suerte, ¿cómo se va a presentar? "Oh, estoy tan apenado, no estaba mirando hacia dónde iba porque la cantidad de cosas que usted está comprando me distrajo".

Por otra parte, hay muchas rutas para encontrar un romance en Internet y la primera significa volver al terreno conocido para desenterrar viejos tesoros del pasado. Las páginas de reencuentros con amigos y otras similares han sido muy exitosas, pues unen a viejos amigos del colegio y porque ahora todos podemos hacer un poco de seguimiento y averiguar en qué andan nuestras ex novias (ay, madure y no se siga sintiendo culpable, ¿no se ha puesto a pensar un minuto que ellas están haciendo lo mismo?). Es hermoso pensar que esto es un crimen sin víctimas pero la pura verdad es que para ambos sexos llega el momento en que no podemos resistir la urgencia de saber cómo le está yendo a la otra parte, y aunque no haya estadísticas confiables sí hay mucha evidencia anecdótica que sugiere que donde hubo fuego cenizas quedan, así se reavivan los romances. Bueno, todo eso está muy bien, pero sólo porque alguna vez salieron juntos no quiere decir que ahora esta sea la receta para un éxito a largo plazo. De hecho, las apuestas están en su contra simplemente porque no sólo salieron por un tiempo, sino porque también encontraron una razón para dejar de hacerlo y seguramente no pasará mucho tiempo para recordar cuáles son. Algunas veces es mucho mejor dejar que los perros duerman.

Su segunda opción en Internet es la posibilidad de conocer montones de mujeres nuevas, las citas en línea. Yo sé que usted está acostumbrado a la frase: "Yo tengo un amigo que...". Lo que realmente significa: "Soy yo pero me da vergüenza admitirlo". Honestamente, tengo un amigo que ha tenido citas por Internet y he visto cómo se conecta y "chatea" con mujeres. Para mí esto es como ir al circo a ver a un hombre que pone su cabeza en la boca del león: es fascinante verlo, hasta que simplemente no puedo apartarme, y aún así no me aventuraría a entrar allí como no me aventuraría a ir a la Luna.

No es que piense que hay algo malo con los servicios de citas en línea. De hecho, mi lado lógico me dice que es la manera más sensata de conocer a alguien apropiado y es una forma segura (si se hace de la manera correcta) de vetar a una cantidad de compañeras potenciales. De manera similar, brinda a ambos sexos la oportunidad de navegar por las estanterías sin sentir la necesidad de hacer una compra. Muy sensato y muy maduro en todo su concepto, pero es que mi lado romántico me impide tener una relación cibernética.

Sólo estoy calentando motores con esto de los métodos modernos y el último son las citas rápidas, donde se condensan en tres minutos los coqueteos de una primera cita normal y se repite el ejercicio hasta 30 veces en una noche. Es como una especie de mercado de ganado en un microondas. Sólo tendrá suficiente tiempo para decir 30 veces que es un triste padre soltero que busca un poco de acción, número suficiente para que todas las mujeres del lugar vayan en la dirección contraria. Si alguna de ellas se ve algo interesada, este es el momento de invertir en una jaula, en otra, si tiene un conejo como mascota.

Si usted es tímido y sensible, está conectado con su lado femenino, no teme expresar sus emociones y uno de sus *hobbies* es ir de compras y comer chocolate, entonces la mayoría de mujeres verán *algo* atractivo en usted. Sin embargo, si utiliza esto como su currículum vítae emocional en una cita rápida, las mujeres detectarán rápidamente la mentira y este será un rasgo poco atractivo.

Todas estas nuevas cosas atractivas suenan bien para divertirse, pero si está decidido a encontrar seriamente una novia nueva, no hay nada mejor que los viejos métodos probados y examinados de su juventud.

Salir, ser sociable, tomar unos pocos tragos y divertirse un poco parece una buena forma de conocer mujeres y, siendo sincero, para algunos lo es. Yo tengo que confesarles que mi patológico miedo al rechazo hizo que en el pasado esta experiencia fuera más bien terrible, pero si usted es un buen conversador, no se siente mal y no le tiene miedo a las "cachetadas" ocasionales, usted tiene suerte.

Tiene que recordar que con el tiempo los lugares cambian. Todo sobre ellos cambia: la música, la moda, las bebidas y, a menos que sea joven y esté a la moda, es muy poco probable que aparente serlo solamente por poner un pie en el lugar. Escoja cuidadosamente y, si es posible, vaya con un amigo que sepa cómo son las cosas y que aún esté soltero.

Si ir a bares nocturnos no es su plan, seguramente otra cosa lo es, por lo tanto busque alguna actividad social que lo ponga en contacto con personas que piensen de manera similar. Esto puede significar hacerse miembro del club local de fotografía o escalada, o tal vez un grupo de teatro o clases de tenis. No importa, siempre y cuando esta actividad lo haga salir y relacionarse. Los únicos grupos de los que desconfío mucho son los clubes de solteros, pues tengo la sensación de que la mayoría de personas que se unen a estos buscan un estilo de vida desesperadamente para dejar de ser solteros; y hago énfasis en la desesperación.

LAS COMPLEJIDADES DE LAS NUEVAS RELACIONES

Como sea que usted escoja conocer a alguien y cuando esto suceda, nunca será como antes de estar casado/amarrado y con hijos. Lo más importante que hay que recordar es que ser padre es una situación diferente a cualquier otra, porque ahora lleva "equipaje", un equipaje frágil. Recuerde "manejarlo con cuidado". Asimismo, su estatus ha cambiado y usted ahora es padre, lo que conlleva a la inevitable responsabilidad de intentar equilibrar las relaciones en su vida. Una nueva novia podría hacer que los niños se sientan más seguros o, por el contrario, amenazados, si sienten que ella está acaparando toda su atención. Es muy probable que tampoco sea una tarea fácil para ella, pues cuando lo escogió, tal vez no se dio cuenta de lo que significaba comprar uno y llevar dos (o más) adicionales gratis en el mercado de las relaciones. Si va a tirar de este gatillo, usted debe escuchar y hablar para que todos los involucrados sepan lo que está sucediendo y qué sentimientos están en juego. Como sea que les esté yendo, probablemente es mejor no apresurar las cosas; todos necesitan una oportunidad para reacomodarse a este nuevo conjunto de circunstancias. Esto puede sonar un poco pesado, como si se le fuera a declarar de inmediato a la próxima mujer que conozca, pero hasta en las relaciones más relajadas y casuales, todos los involucrados querrán saber dónde están parados.

Una vez haya "entrado en el mercado" usted se dará cuenta de que las mujeres que conocerá también tienen niños, pero claro, es mucho más probable que ellas vivan con sus hijos la mayor parte del tiempo. Ahora las cosas son realmente complicadas puesto que ya no es una relación entre ustedes dos, es una matriz de diferentes relaciones, y algunas pueden funcionar bien y otras no.

Sería muy estúpido de mi parte no reconocer el hecho de que la conquista es un juego y durante las primeras etapas especialmente, ninguno de nosotros es 100% sincero el 100% del tiempo. Normalmente, estamos preocupados por mostrar lo mejor de nosotros y queremos hacer de cuenta que nunca nos hemos tirado un pedo, que no nos lo tiramos ahora y que nunca nos lo tiraremos.

Pero aparte de la trivialidad de nuestras funciones corporales este no es el momento para comenzar a jugar con las emociones de las otras personas: las de su nueva novia, las de sus hijos y las de los hijos de ella; es algo demasiado complejo para jugar con ello.

En cambio, intente ser honesto desde el comienzo y sea claro sobre lo que quiere y espera de la relación. También reconozca de frente que el camino a seguir es mucho más complicado ahora que los niños están involucrados. Es mucho mejor hacerlo así que simplemente ser un sinvergüenza y un canalla.

EL CAMINO
ES LARGO Y CULEBRERO

Hace unos años, me fui a la BBC a realizar un folleto titulado: *Cómo ser feliz* que acompañaba el documental "Q.E.D." (*Quod erat demonstrandum*) del mismo nombre; era muy buena oportunidad como para rechazarla. Todavía lo tengo en algún lugar y pensar en eso me hace reír. Por supuesto, esto no era lo que querían, el objetivo del programa era esbozar algunas teorías científicas sobre cómo aumentar el cociente de felicidad. De hecho, si le hubieran dado un nombre llamativo como CF (como el CI o el CE), probablemente hubieran logrado hacerlo un éxito.

En el documental tomaron a un par de personas tristes (eran personas tristes literalmente, no estoy siendo rudo) y las sometieron al "proceso de felicidad" que, por lo que recuerdo, implicaba pasar mucho tiempo frente al espejo y cantar el mantra: "Yo soooooooyyyyyyyyyy ffffffffffeeeeeeeeeeeeeeeliiiiiiiiiz". Luego medían qué tan felices eran estas personas después del proceso.

Mi maravilloso folleto delineaba la manera de lograrlo de forma segura en su casa, pero por alguna razón yo nunca logré hacerlo. Simplemente no podía convencerme a mí mismo de creer que la felicidad se basaba en alguna fórmula científica y que si mezclaba los ingredientes en un tubo de ensayo de nuestra existencia, milagrosamente pasaríamos de sólido a gaseoso (es decir, gas hilarante) de la noche la mañana. En lugar de eso, he pensado mucho sobre lo que me hace feliz, lo que nos hace a todos felices, qué es la felicidad y, puesto que pienso que su felicidad como padre soltero se relaciona mucho más con la felicidad de sus hijos, he establecido mis conclusiones a continuación.

Creo que muchas de estas preguntas pueden estar relacionadas con el hecho de si nacimos felices o no. ¿Puede ser genética la felicidad? ¿Si tenemos padres infelices es posible que nosotros también lo seamos? ¿Podemos introducir a nuestras vidas factores "ambientales" que nos puedan hacer más felices?

Si acepta mis tesis completamente acientíficas de que nosotros tenemos una capacidad natural para ser felices, entonces no importa en qué parte de la escala de la felicidad nos encontremos, pues hay dos cosas que podemos hacer. Primero, aprovechar al máximo lo que tenemos y, segundo, aprovechar al máximo lo que nos *queda*. La mayoría de nosotros sabemos e imagino que a todos se nos ocurre cuando alguien que conocemos muere, especialmente si es alguien de nuestro grupo familiar o de nuestra edad, que no estaremos aquí para siempre. En estas circunstancias podríamos decidir que de aquí en adelánte debemos aprovechar más cada día, pero es una lástima porque al parecer no somos capaces de sostenerlo a largo plazo.

Si puede asumir el verdadero espíritu de vivir cada día un poco más agradecido, pienso que usted está en el camino que lo llevará a ser más feliz. No quiero ser melodramático, véalo así: todos aspiramos a ser felices al momento de morir y como no sabemos cuándo será ese día, la única forma de lograrlo es intentando ser felices *cada* día. Es una de las mejores maneras de ganarle al sistema.

También sé que muchos padres me han dicho que una vez han tenido hijos el tiempo se pasa rápido, más que en cualquier otra etapa de su vida. Usted sabe que ser pedante no es lo que más me gusta, pero quiero señalar que cada minuto tiene exactamente la misma duración que el anterior. El tiempo en realidad no se acelera. Si dejo la telenovela a un lado por un momento, seré el primero en admitir que este *parece* pasar más rápido y sólo puedo imaginar que esto se debe al vertiginoso desarrollo de los hijos, desde una masa informe hasta un adolescente quejumbroso, y esto es lo que nos proporciona un patrón para medir el paso del tiempo.

Siempre recordaré cuando mi hermana me decía: "Disfruta cada momento con ellos, porque antes de que te des cuenta se habrán ido", y lo que me dijo me pareció aún más patético cuando su hijo adolescente pasó cerca de nosotros gruñendo, eructando y atacando por sorpresa el refrigerador.

No insista demasiado en esto, pero si mantiene en alguna parte de su mente que "Oh, por Dios, todos vamos a morir", entonces el olor de un bebé enfermo no es más que un abrir y cerrar de ojos cuando se mide con las arenas del tiempo y la gratitud que sentimos por el simple hecho de estar vivos. Esto le hará despertar cada mañana y decir en voz alta: "¡Es un hermoso día!".

Cuando tenemos que aprovechar las cosas con las que nacimos (nuestra "felicidad potencial", si lo quiere) es una buena idea detenerse de vez en cuando y pensar en las cosas que son importantes para nosotros. A continuación les presento algunas de las mías:

- Yo
- Los niños
- Mi familia (mamá, papá, hermano, hermana)
- Amigos
- Vida social
- Estado físico
- Bienestar
- Salud
- Sexo
- Dinero
- Creatividad
- Experiencias de vida

- Risas
- Debate
- Conocimiento
- Cosas mundanas
- Trabajo
- Autoestima

No es una lista definitiva, son sólo las cosas que se me pasaron primero por la cabeza y, es más, no es necesario que estén en orden de importancia. Pero hay que admitirlo: no es un mal resumen. Deténgase y piense sobre su propia lista, incluso escríbala y califique cada punto de cero a diez. El cero significa que está completamente insatisfecho con el estado de ese aspecto de su vida y el diez significa que lo tiene resuelto. Luego decida ser más feliz haciendo énfasis en las cosas buenas y alejando las malas.

ÚLTIMOS PENSAMIENTOS

Mientras más me acerco a la conclusión de este libro, me doy cuenta de que tengo que hacer algunas confesiones. La primera es que esto resultó más personal de lo que yo quería. Cuando me puse a la tarea de escribir el libro, pensé que iba a ser capaz de mantener el tema bastante lejos de donde mis hijos y yo nos encontrábamos, pero a través del proceso me di cuenta de que esto era imposible. Paradójicamente, pienso que esto ha hecho el texto mucho más rico y he compartido experiencias reales sobre cómo sobrellevar el hecho de ser un padre soltero, pero reconozco que existen algunos pasajes que mis amigos, mi familia, mis hijos y su madre hubieran preferido que no escribiera. Si este es el caso les ofrezco disculpas. Por otro lado, espero que haya encontrado este realismo divertido, auténtico y relevante a como usted está viviendo su vida y manejando sus circunstancias. Me gusta pensar que lo último justifica lo primero.

Es igualmente cierto que agonicé con el título, pues sentí como si yo mismo me estuviera enfilando hacia una derrota. Por supuesto, no me considero un gran padre, pero esto es algo que espero ser y unos días son mejores que otros. Como dicen mis hijos, cada padre tiene su día. Sin embargo, para ser honesto, importa un carajo lo que yo piense porque el último veredicto de qué tan "grandioso" o no soy, no reside en mí sino en los dos hijos que he criado. Por alguna razón, las leyes de la naturaleza tienden a inclinarse a nuestro favor: puede que no tengamos mucho potencial pero nuestros hijos siempre encuentran la manera de ver lo bueno que hay en nosotros. Pero para mí eso no es suficiente razón para dormir tranquilamente en la noche. Sé que debo seguir intentándolo y que debo esforzarme más para entender cuáles cosas funcionan y cuáles no, al igual que tratar de hacer lo correcto la mayor parte del tiempo.

También soy muy consciente del poco tiempo que tenemos para cumplir con todas nuestras responsabilidades de padres. Naturalmente, estas responsabilidades siempre estarán al acecho y le llegarán de repente en su vida adulta, es una manera que tiene la naturaleza de recordarle que tiene hijos, pero la brecha entre hacerles todo y que ellos no lo necesiten para nada es tan corta y pasa tan rápido que no tendrá ni siquiera la oportunidad de darse cuenta cuando dejaron de llamarlo papi y lo cambiaron por papá. Este es el primero de muchos signos que nos muestran que la vida es corta.

Finalmente, me queda difícil decidir si incluyo o no el pedazo de prosa al final de este capítulo, un escrito que redacté cuando estábamos de vacaciones. En parte porque es muy personal pero también porque pienso que existe una línea delgada entre ser poético y tener mal gusto. Al final escogí incluirlo por la simple razón de que los padres solteros tenemos días horribles donde no sólo nos preguntamos si lo estamos haciendo bien, sino por qué lo estamos haciendo. Cuando esto sucede encuentro consuelo en el hecho de que mis hijos son las personas más importantes del mundo para mí y, de vez en cuando, la felicidad de tenerlos es efervescente y me deja, como sucedió cuando escribía eso, inspirado, humilde y más feliz de lo que me parece posible. De manera que aquí lo tienen. Esto fue lo que escribí en uno de esos días tan especiales.

Martes, 24 de febrero de 2004

Hoy fue un día que tuvo un momento muy especial.

Estamos a tres cuartas partes de pasar quince días de vacaciones en Florida.

¿Nosotros? Mi familia y yo. Mis dos hermosos hijos y yo. Durante estas dos semanas del año somos lo único para cada uno —sólo somos los tres— nada más nos molesta y nada es más importante que disfrutar nuestro tiempo juntos.

Sería muy fácil decir que esto no es "la vida real" porque en casa todos tenemos otras cosas en qué pensar; las preocupaciones cotidianas del trabajo o el colegio, ganar suficiente dinero para pagar las cuentas o hacer las tareas a tiempo. Tal vez esas 50 semanas del año son las irreales y estas dos son como deberían ser.

Es decir, ya les he explicado mi teoría sobre la felicidad a mis hijos y les digo: "Todos necesitamos momentos tristes para saber cómo son los momentos felices", una cosa contrasta con la otra y esto ayuda a medirlas. Tal vez necesitamos las 50 semanas como ayuda para medir las otras dos.

De manera que hemos ido a todo lo que los Estudios Universal nos pueden ofrecer. Hemos lanzado redes con el Hombre Araña, nos enfrentamos con dragones, derrotamos al Tiburón, escapamos de un terremoto y en diversas ocasiones hemos llegado a casa antes de salir gracias al viaje de "Regreso al futuro". Los derribamos, un viaje tras otro; Nancy tan intrépida como siempre, Ben que se le mide a todos los retos y supera sus ansiedades de manera que me hacen sentir orgulloso.

Tal vez hoy ocurrió la peor tormenta, fue una verdadera tormenta, mal tiempo de verdad. El sol de Florida nos abandonó, tuvimos que utilizar nuestros ponchos plásticos y chapotear de atracción en atracción, hasta llegar, afortunadamente, a una fila bajo techo que nos protegió de los truenos.

Finalmente, llegamos a nuestra última montaña rusa del día, al "Twister", una simulación desconocida del terror que se siente al presenciar un tornado. Nos mantuvimos de pie, zambullidos dentro de otra función de calentamiento, las gotas de lluvia escurrían por nuestra protección plástica azul y formaban charcos alrededor de nuestros pies, o aún peor, se filtraban entre nuestros zapatos y medias.

En una pared al fondo, dos pantallas de cine iluminadas con luces tenues esperaban recobrar vida con las noticias desastrosas del mal funcionamiento del sistema y una advertencia final de "¡salga mientras pueda!".

Luego, en medio de todo esto, sucedió el momento tan especial. Tomé una mano de cada uno de mis hijos, sus dedos rodearon mis manos, ya no eran manos de bebés ni de niños dando sus primeros pasitos (¿por qué todo esto pasa tan rápido?). Eran las manos de mis hijos y no iban a seguir siendo manos de niños nunca más. Estas son manos que pronto serán de adultos, grandes e independientes y justo allí, justo en ese instante, supe que tenía que saborear el momento.

Lo hice: miré las pantallas en blanco, sentí las pequeñas manos frías y húmedas por la lluvia que las empapaba, sentí que me agarraban nerviosamente, porque estaba oscuro y ninguno de nosotros sabía qué iba a ocurrir. Sentí en mis dos hijos la ansiedad de lo desconocido y al mismo tiempo la seguridad de que todo estaba BIEN porque yo estaba allí.

Sentí la obligación de asegurarme de que todo estuviera bien. Y aunque sé que esta dependencia, palpable ahora, desaparecerá, yo siempre y por siempre querré hacer que todo esté bien para ellos.

En ese efímero momento me sentí orgulloso

y feliz

y consciente

y humilde

y privilegiado

y elevado.

Qué niños tan maravillosos —qué vida tan maravillosa—, cuánta suerte tengo.

No todos los días son como ese, pero una cosa es irrefutable: cada día soy su padre, es mi trabajo, no me da dinero, nunca me ascenderán, al final me despedirán (metafóricamente), no existe pensión y las horas no son negociables y a pesar de todo, es el mejor trabajo que he tenido, el mejor trabajo que nadie pueda tener.

Nota final

Después de que todo está dicho y hecho, he llegado a una sólida conclusión tan obvia por lo simple que es muy difícil de verbalizar. Ninguno de los conocimientos de las generaciones pasadas, ninguno de los consejos aterrizados de amigos en quienes confiamos y ninguno de los pensamientos plasmados en estas páginas pueden convertirlo en un gran padre soltero. De hecho, quiero pensar que la única razón por la cual buscamos fuentes adicionales a nuestras habilidades para sobrevivir, es que nuestras vidas son tan complejas e intrincadas, nuestras expectativas son tan grandes y los retos tan inmensos que por lo general sentimos la necesidad de confiar en algo distinto a nosotros mismos.

Aun así, si usted se deshace de todo lo demás, sus habilidades de padre soltero nacen del instinto y de esto lo más grande, fuerte e inamovible es el amor por sus hijos. Hágalo. Muéstreselo y dígaselo y así podrá llegar a ser, a sus ojos, el mejor papá del mundo.

Buena suerte.